CONNAISSANCE IGNORANCE MYSTÈRE

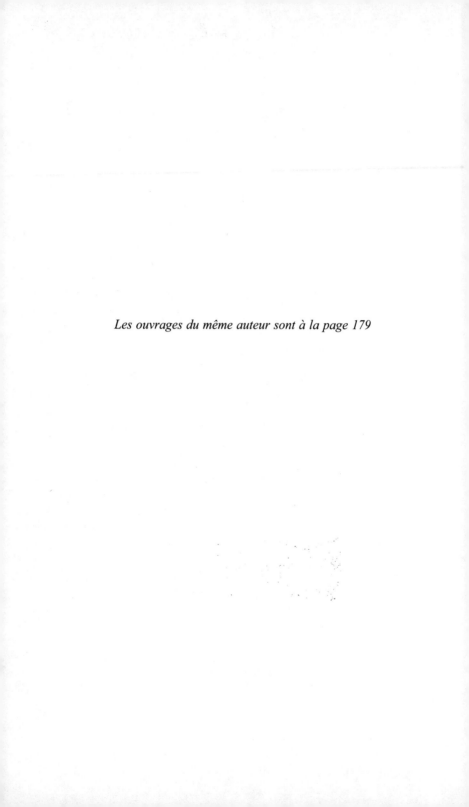

Les ouvrages du même auteur sont à la page 179

Edgar Morin

Connaissance
Ignorance
Mystère

Fayard

Couverture Atelier Didier Thimonier

ISBN 978-2-213-66622-8

Dépôt légal : mars 2017

© Librairie Arthème Fayard, 2017

PRÉLUDE

Et sa science augmente tant
Qu'il en demeure sans savoir.

Jean de la Croix

Qui augmente sa connaissance augmente
son ignorance.

Friedrich Schlegel

L'empire du savoir a largué les amarres.
Il vogue vers le mystère et la nuit.

Manuel de Diéguez

Nous vivons encore dans l'enfance
de l'espèce humaine, tous les horizons que sont
la biologie moléculaire, l'ADN, la cosmologie
commencent à s'ouvrir. Nous sommes juste
des enfants à la recherche de réponses, et à
mesure que s'étend l'île de la connaissance,
grandissent aussi les rivages de notre ignorance.

John Wheeler

Le temps est venu où ce qui sut nous rester
incompréhensible pourra seul nous requérir !

René Char

La grenouille au fond du puits ne connaît
pas la haute mer.

Maxime japonaise

Les choses ne sont pas mystérieuses parce qu'elles seraient signes d'autre chose mais parce qu'elles sont.

Vladimir Jankélévitch

Le plus haut objet de création nous désigne aujourd'hui l'impensable avec lequel il nous faut maintenant apprendre à vivre de la manière la plus humaine et la plus accomplie possible.

Patrick Chamoiseau

Les sciences ont deux extrémités qui se touchent. La première est la pure ignorance naturelle où se trouvent tous les hommes en naissant. L'autre extrémité est celle où arrivent les grandes âmes, qui, ayant parcouru tout ce que les hommes peuvent savoir, trouvent qu'ils ne savent rien et se rencontrent en cette ignorance d'où ils étaient partis : mais c'est une ignorance savante qui se connaît.

Blaise Pascal

L'homme qui ne médite pas vit dans l'aveuglement, l'homme qui médite vit dans l'obscurité.

Victor Hugo

J'aime connaître.

J'ai gardé les curiosités de l'enfance, les interrogations de l'adolescence, j'ai pu, à vingt-sept ans, dans mon livre *L'Homme et la Mort*, interroger ce qui, dans la condition humaine, pose le plus problème et nécessite une culture transdisciplinaire ; à trente ans, j'ai eu la chance d'être intégré au CNRS, qui m'a permis de satisfaire mes curiosités et interrogations, loué soit-il pour la liberté qu'il m'a accordée !

Je ressens toujours très vivement le plaisir des découvertes et des élucidations, et je n'ai cessé de lire revues scientifiques et ouvrages m'informant des prodigieux progrès des connaissances.

Néanmoins, très rapidement, j'ai compris que la relation entre la connaissance et la réalité posait le problème soulevé depuis longtemps par des penseurs indiens, chinois, grecs, soulevé de nouveau par Kant et aujourd'hui par la science du cerveau et la philosophie de la connaissance : que connaît-on, que peut-on connaître de la réalité ?

La connaissance devenue problématique rend la réalité elle-même problématique, qui rend tout autant problématique l'esprit producteur de la connaissance, lequel rend aujourd'hui énigmatique le cerveau producteur de l'esprit.

Ainsi débouchons-nous sur la relation inséparable et circulaire entre réalité, connaissance, esprit, cerveau. Nous découvrons un inconnu en chacun d'eux et, chose paradoxale, l'inconnu se trouve à l'intérieur du connu et du connaissant. Autrement dit, tout ce qui élucide devient obscur sans cesser d'élucider.

Cela n'a pas éteint ma soif de connaissance, mais l'a élargie et amplifiée dans le but de tenter de connaître la connaissance elle-même, ses possibilités, ses limites, ses risques d'erreur, d'illusion, et de chercher les moyens d'élaborer une connaissance, la plus pertinente possible, ce qui m'a conduit à écrire *La Méthode*.

Je ressens toujours autant le plaisir des découvertes, des élucidations, aussi bien à propos de l'univers que des petits détails de la vie quotidienne. Cela a suscité chez moi, de plus en plus fortement, l'étonnement – parfois émerveillement, parfois vertige – d'être en vie, de marcher, d'être sous le soleil, de regarder la lune montante dans le ciel nocturne, de contempler les amas d'étoiles, minuscules à mes yeux, énormes à ma connaissance.

Tout ce qui est évident, tout ce qui est connu devient étonnement et mystère.

Mon étonnement s'accroît à chaque regard, à chaque sensation. Ce n'est pas seulement le mystère de la vie, de l'existence, de la réalité, c'est aussi la tête des passants dans la rue, les arbres, les animaux...

Je m'ébahis devant les pépins amassés, protégés comme des bébés à l'intérieur de la chair du melon, des pépins du grain de raisin, ou devant l'amande calfeutrée à l'intérieur du noyau cuirassé de la pêche.

J'ai le fort sentiment de l'invisible caché dans le vu.

Je ressens ce qui a été ressenti par tant d'esprits dans tant de civilisations, le sentiment d'une vérité secrète, qu'il faut chercher avec obstination et ascèse, jusqu'à l'initiation qui fait accéder enfin à la vérité ésotérique. Mais je suis arrivé à la conscience que cette vérité restera à jamais cachée à notre conscience. Ceux qui croient y être parvenus s'illusionnent d'un maître mot qui les illumine. Du reste, je suis toujours éberlué quand j'entends ceux qui brandissent *le* mot qui dissipe toutes ténèbres : Dieu, Matière, Esprit, Raison, Déterminisme.

Je suis de ceux qui s'émerveillent de l'univers, mais non de ceux qui lui trouvent un sens ou le rationalisent.

Quand le grand Einstein s'enchante de la raison supérieure qui régit l'univers, je ne peux m'empêcher de penser que cette raison supérieure est toute mêlée d'une folie immodérée, avec les annihilations d'antimatière par la matière, les collisions et explosions d'étoiles, les désintégrations ininterrompues de tout ce qui est intégré, sans oublier les cataclysmes qu'a connus l'histoire de la vie, et, si l'on passe à l'humain, les extinctions de civilisations, les anéantissements culturels et les déferlements de massacres et délires, cruautés de toutes sortes !

La raison du scientifique s'est projetée sur le monde et l'y a incorporée. De même ceux qui croient en un « esprit de l'univers » projettent leur esprit sur l'univers et l'y incorporent.

Ceux qui projettent leur raison sur l'univers tendent à considérer l'irrationalité comme illusion d'ignorants et, devenant ainsi eux-mêmes irrationnels dans l'illusion rationaliste, tendent à devenir aveugles aux irrationalités du monde.

Plus on voit ce qu'il y a de rationnel, plus il faut voir aussi ce qui échappe à la raison.

On peut s'émerveiller de l'ordre harmonieux des lois universelles, mais on occulte le fait que notre univers est un jeu multiple d'ordre et de désordre. Comme l'avait constaté Héraclite de façon décisive cinq siècles avant notre ère, l'harmonie et la désharmonie se combinent, ce qui concorde et ce qui discorde se joignent, et si conflit n'est pas le seul père de toutes choses, car il est inséparable d'union, Éros et Thanatos sont à la fois en complémentarité et en antagonisme permanents.

Oui, il y a d'extraordinaires puissances organisatrices dans notre univers, de l'atome à la galaxie. Mais il y a des forces désorganisatrices tout aussi extraordinaires, dont le second principe de la thermodynamique fut un révélateur. L'émerveillement ne saurait occulter le fait que notre univers est activé par la mort et la destruction et qu'il travaille aussi pour elles.

À la suite de Teilhard de Chardin, certains ont vu dans l'histoire de l'univers une montée de la complexité vers des formes supérieures de l'esprit. Or, cette montée est marginale sur une petite planète comme notre Terre, soumise à des régressions et à divers aléas. En même temps, sous l'emprise d'une force appelée aujourd'hui énergie noire, l'univers va vers la dispersion et la mort.

N'embellissons pas l'univers en dépit de ses splendeurs. Ne le rationalisons pas non plus, malgré ses cohérences, et voyons aussi ce qui échappe à notre raison.

Certains croient avoir trouvé le secret de l'univers dans un algorithme suprême. Mais d'où sortirait cet algorithme, version mathématique hyperabstraite du Dieu créateur, et qui, de surcroît, ne saurait produire que de l'ordre ?

Joël de Rosnay[1] nous dévoile les « codes cachés » de l'univers, mais ce dévoilement voile par là même le mystère dont sont issus ces codes. Sa volonté de comprendre s'est détournée de l'incompréhensible.

Marc Halévy, dont j'approuve, nous le verrons, le principe d'émergence, veut que l'émergence de l'univers soit due à une « intention première[2] ». À mes yeux, c'est la version conative résiduelle du Dieu génésique, et elle nous cache le plus profond mystère.

Je suis persuadé, au contraire, que, selon le mot de Jean de la Croix, le mystère est dans la « nuée ténébreuse », hors de notre atteinte.

> *plus il monte haut*
> *moins il comprenait*
> *ce qu'est la nuée ténébreuse*
> *qui éclairait la nuit[3]*

---

1. Joël de Rosnay, *Je cherche à comprendre*, Les Liens qui Libèrent, 2016.

2. Marc Halévy, communication au congrès mondial de la pensée complexe, Paris, Unesco, 8-9 décembre 2016.

3. Jean de la Croix, *Entreme donde no supe*, in *Poésies complètes*, José Corti, 1991.

L'étonnement ininterrompu conduit à l'interrogation ininterrompue. Je cherche et trouve tant et tant d'explications dans les sciences, mais ces explications contiennent de l'inexplicable et suscitent de nouvelles interrogations.

Je sais que ma raison, mon esprit m'ouvrent sur le monde, la réalité, la vie, et je sais en même temps qu'ils m'enferment dans et par leurs limites, et que le monde, la réalité, la vie que je connais recouvrent de l'inconnu.

Je vis de plus en plus avec la conscience et le sentiment de la présence de l'inconnu dans le connu, de l'énigme dans le banal, du mystère en toutes choses et, notamment, des avancées du mystère en toutes avancées de la connaissance.

Dostoïevski disait : « L'homme est un mystère. Si, pour l'élucider, on y passe notre vie entière, nous n'avons pas perdu notre temps. » Il ajoutait : « Je m'occupe de ce mystère, car je veux être un homme. »

J'ai passé ma vie entière à m'occuper et me préoccuper du mystère humain. Il fait partie d'un mystère plus ample.

CHAPITRE PREMIER

La connaissance ignorante

Nous sommes dans une société d'expansion des connaissances, mais aussi de régression de la connaissance.

L'expansion des connaissances est aussi irrésistible que l'expansion de l'univers. L'esprit humain n'a pas la capacité de capter, embrasser, organiser leur immensité croissante. S'il peut, par dictionnaires, encyclopédies, Internet, Big Data, les accumuler, et s'il peut ou pourrait en « algorithmiser » certaines, il ne saurait embrasser le tout en expansion.

Même au sein d'une discipline comme la biologie moléculaire, la connaissance est en expansion accélérée, et aucune connaissance exhaustive ou définitive n'y est possible. On peut se limiter à la connaissance exhaustive d'un fragment minuscule du savoir, où, comme le disait Raymond Aron, on saurait tout sur rien. Notre connaissance est-elle condamnée à être partielle, ou bien, quoiqu'elle soit inachevée et inachevable, y a-t-il, pour nous, humains du XXIe siècle, une voie pour détecter les connaissances essentielles et les relier ensuite, afin de traiter les problèmes fondamentaux et globaux ?

La connaissance des problèmes fondamentaux et globaux nécessite de relier des connaissances séparées, cloisonnées, compartimentées, dispersées. Or notre enseignement nous apprend à séparer les connaissances, non à les relier. Pourtant, nous avons besoin d'une connaissance qui sache relier. C'est pourquoi, au long d'un travail de trente années, j'ai, à partir de notions déjà formulées[1], mais sous-utilisées et sous-estimées, pour ne pas dire ignorées, élaboré une méthode pour articuler les savoirs les uns aux autres et les rendre complémentaires. La méthode veut appréhender la complexité, non la complétude, car nous sommes condamnés à l'incomplétude. La connaissance complexe ne saurait éliminer l'incertitude, l'insuffisance, l'inachèvement en son sein. Mais elle a le mérite de reconnaître l'incertitude, l'inachèvement, l'insuffisance de nos connaissances.

---

1. Par Ludwig von Bertalanffy, John von Neumann, Heinz von Foerster, Norbert Wiener, William Ashby, Gregory Bateson entre autres.

La dispersion et la compartimentation des connaissances dans les disciplines spécialisées éliminent les grands problèmes qui surgissent quand on associe les connaissances enfermées dans les disciplines. Aussi, les interrogations essentielles sont-elles éliminées. Leur ignorance entretient un ignorantisme qui règne non seulement sur nos contemporains, mais aussi sur des savants et experts, ignorants de leur ignorance.

Nous devons aux avancées des sciences depuis la physique quantique, à la cosmologie post-Hubble, à la biologie moléculaire, à la génétique, à l'éthologie animale, à l'unification des sciences de la Terre et au développement de l'écologie d'extraordinaires découvertes et élucidations à propos de l'univers, de la Terre et de la vie.

Toutefois, les gigantesques élucidations de la science lui cachent ses cécités. Elle est ignorante sur ses présupposés qu'éclairent pourtant les philosophes des sciences : Edmund Husserl, Gaston Bachelard, Karl Popper, Thomas Kuhn, Paul Feyerabend, Mario Bunge, Gerald Holton, Isabelle Stengers, Michel Serres. Elle est ignorante des cécités que produisent la disjonction (qui sépare ce qui est naturellement inséparable comme cerveau/esprit, homme/nature) et la réduction (qui croit expliquer un tout à partir des parties qui le constituent, alors que le tout produit des qualités inconnues des parties).

Ne voyant et ne claironnant que ses bienfaits, elle est aveugle, sauf chez quelques-uns, sur les énormes dangers éthiques et politiques qu'ont provoqués ses développements physiques (arme nucléaire et autres de mort massive) et biologiques (dangers de manipulation cérébrale et de manipulation génétique). Il y a un trou noir au sein de l'activité et de l'esprit des scientifiques quand ils sont assurés de disposer des Tables de la Raison

Mieux encore : les progrès fabuleux des connaissances scientifiques ont sans cesse révélé des nappes de plus en plus profondes et amples d'ignorance ; la nouvelle ignorance est différente de l'ancienne, qui vient du manque de connaissances ; la nouvelle émerge de la connaissance elle-même. D'anciens mystères, comme celui de la nature de notre réalité, ont été revivifiés par la microphysique et l'astrophysique. Les progrès de la microphysique ont révélé aux soubassements de notre univers une sous-réalité où temps, espace, localisation ont disparu. Les progrès de l'astrophysique nous ont plongés dans le mystère des origines, et ils ont révélé non seulement l'étrangeté de l'univers, mais son invisibilité à plus de 97 %. On pense aujourd'hui que sa matière ne compte que 4 % de sa réalité, qui se partagerait entre une matière noire et une énergie noire, cette dernière détectée ou supposée par sa force de dilatation.

Enfin, les progrès du savoir produisent une nouvelle et très profonde ignorance, car toutes les avancées des sciences de l'univers débouchent sur de l'inconnu : celui de l'origine s'il y a origine, celui de la fin s'il y a une fin, celui de la substance de la réalité. Et cela est aussi vrai pour l'origine de la vie, pour la fabuleuse créativité des espèces végétales et animales, pour l'incroyable pouvoir d'organisation spontanée des écosystèmes et de la biosphère ; enfin, cela est vrai pour les origines de l'humanité, désormais reconnues dans un devenir de millions d'années d'hominisation, mais sans que l'on comprenne pourquoi et comment est apparu l'être à gros cerveau qui a été capable de devenir, entre autres, Michel-Ange, Beethoven, Hegel...

Les progrès de la biologie, à commencer par la découverte de l'évolution du monde vivant, nous révèlent le mystère de la créativité végétale et animale, mais la peur du créationnisme a produit un aplatissement explicatif par les notions de mutation (au hasard) et d'adaptation. Par ailleurs, le mot « créativité » a été banalisé dans les textes sur l'art et a même été annexé par le business. Dans un sens, il est juste de considérer que l'esprit humain est créatif même dans des domaines secondaires ou superficiels. Mais, en même temps, l'inflation qu'il subit conduit, comme toute inflation, à la dévaluation. Néanmoins, j'ai besoin de ce terme, sans lequel l'évolution biologique et l'histoire humaine sont trivialement dues à des déterminismes et/ou à des hasards.

Nous sommes insensiblement arrivés à cette interrogation : quelles sont les vraies limites de toute connaissance, y compris complexe[1] ? Ce n'est pas nécessairement l'inconnaissable. Une grande part de l'inconnu actuel est provisoire et deviendra connu. Mais la connaissance, en se développant, en particulier dans les sciences physiques et biologiques, aborde et révèle un inconnu plus radical, plus profond encore. Notre savoir scientifique a accompli de gigantesques progrès, mais les progrès nous permettent d'approcher une contrée qui défie nos concepts, notre intelligence, et posent le problème des limites de la connaissance. Les plus grandes avancées des connaissances scientifiques font s'accroître l'inconnaissance en même temps que la connaissance. De plus, elles

---

1. Niels Bohr indique trois types de limite à la connaissance microphysique, qu'il a, du reste, généralisés :
1) l'impossibilité d'unifier la connaissance, liée à
2) l'apparition d'insurmontables contradictions,
3) l'inséparabilité objet/instrument de mesure que l'on peut généraliser dans l'inséparabilité du sujet et de l'objet de la connaissance.

ne résolvent pas les contradictions, mais les rendent indépassables. Si notre univers est né du vide, comment concevoir que la matière puisse naître du vide ? Si le vide est soumis à des fluctuations, qu'est-ce qu'un vide qui n'est pas vide ?

Si je me réfère dans ce livre aux conceptions, théories et hypothèses auxquelles sont parvenues les sciences aujourd'hui, ce n'est pas pour les considérer comme des vérités immuables. Beaucoup de découvertes déboucheront sur bien des remises en question. Mais, ce qui m'importe, c'est tout ce qu'elles nous conduisent à abandonner définitivement : le règne de l'ordre déterministe, le réductionnisme et la disjonction entre les disciplines, la réalité comme notion claire et distincte, et ce qui m'importe aussi, c'est tout ce qu'elles nous amènent, sans parfois le savoir, à considérer : la complexité de l'univers, de la vie, de l'humain.

Certes, il y a beaucoup de choses que nous ignorons dans l'univers physique, biologique, humain, qui seront tôt ou tard connues et reconnues. Il y aura des progrès qui nous obligeront à modifier nos conceptions actuelles de la vie et de l'univers. Nous découvrirons de nouvelles forces et communications, nous résoudrons bien des énigmes. Mais les aptitudes de l'esprit humain ont des limites.

La pensée complexe reconnaît les incertitudes, mais elle ne peut dire l'indicible, elle ne peut aller au-delà des aptitudes de l'esprit humain. Toutefois, portant en elle le principe d'inachèvement (de l'humain, de la connaissance), la pensée complexe introduit au mystère.

L'inconnu est au cœur du connu. Dans certains cas, l'inconnu est énigme, qui, à l'instar de celle d'un roman policier, sera résolue par la connaissance. Non seulement le mystère échappe à la connaissance, mais il est au cœur de la connaissance.

L'inconnu est énigme ; l'inconnaissable est mystère. Où et quand arrive-t-on au mystère ?

Comme nous le verrons, l'inconnaissable, ou le mystère, surgit de l'origine et de la fin de l'univers, de la nature de la réalité, de l'origine de la vie, de la créativité manifestées par les évolutions biologiques, de l'apparition d'*Homo sapiens/demens*. Le mystère à la fois premier et ultime se trouve dans notre cerveau/esprit : c'est le plus fabuleux des mystères bien que, et parce que, c'est lui qui produit notre connaissance.

On a découvert les limites de la rationalité : induction, déduction, logique, tout comme on a découvert que les postulats sur lesquels se fondent les démonstrations scientifiques étaient indémontrables. De la même façon, on a découvert que les présupposés de toute explication étaient inexplicables. La crise des fondements de la connaissance scientifique et la crise de la pensée conduisent bel et bien au mystère.

Le mystère recouvre tous les problèmes profonds, fondamentaux, essentiels que se pose l'esprit humain. Celui-ci doit-il renoncer et se limiter aux phénomènes, comme le préconisait Kant ?

Peut-on s'approcher du mystère ? Peut-on dialoguer avec le mystère ?

Tel est le sens de ma présente aventure : patrouiller aux confins de la connaissance pour appréhender et ressentir l'inséparabilité connaissance-ignorance-mystère.

CHAPITRE 2

La réalité

Tout est réel et n'est pas réel
À la fois réel et non réel
Ni réel ni non réel
Telle est la leçon du Seigneur Bouddha.
Nagarjuna (cité par Frédéric Nef)

La plus belle illusion est de croire que
nous vivons dans un monde réel et l'inverse
aussi.
Maurice Chapelan

Le réel est un déviant du possible.
Pierre-André Terzian

Notre réalité est celle d'un monde à trois dimensions au sein duquel existent des objets et des activités, se déroulent des événements dans le temps et l'espace. Elle est constituée de matière, énergie, information.

En dépit du sentiment indubitable de notre réalité, c'est-à-dire de la réalité de notre être personnel, de la réalité de nos événements, de la réalité de notre nature, de notre terre, de notre monde, du temps et de l'espace, nous avons parfois le sentiment du peu de réalité de notre réalité.

L'idée est ancienne et a été formulée à diverses reprises.

Selon la pensée védique, notre réalité serait *maya* (monde des illusions).

Selon la pensée bouddhique, elle serait *samsara* (monde des apparences).

En Occident, l'idée de Platon, celle d'une réalité dont nous ne connaissons que des ombres, a été diversement reprise. L'idée que la vie est un songe[1] est revenue sans cesse dans notre culture, notamment avec la formulation de Shakespeare dans *La Tempête* : « Nous sommes faits de l'étoffe des songes. » Leopardi est même arrivé à ce renversement logique : « C'est une chose absurde et pourtant strictement vraie que, le réel étant néant, il n'y a de réel et substantiel dans le monde que les illusions » (*Zibaldone*).

D'une autre façon, nous savons, depuis Kant, ce qui a été confirmé par les connaissances scientifiques sur le cerveau humain, que notre perception

---

1. Titre d'une pièce de théâtre de Calderón.

du monde extérieur est coproduite par les puissances organisatrices du cerveau[1]. Le réel est-il réification d'une réalité qui n'est pas faite de choses mais que nous « chosifions » ?

La réalité est-elle semi-imaginaire ?

De toute façon, nous ne pouvons appréhender le réel qu'à travers des représentations et des interprétations.

Karl Pribram avait suggéré que notre cerveau transforme en hologrammes (ou images en relief) une réalité « faite uniquement d'ondes de fréquence[2] ». Mais celles-ci sont une traduction en langage scientifique d'un niveau d'observation analogue à celui de la radiographie qui ne voit que les os et non la chair. Les ondes de fréquence sont aussi bien autre chose que des ondes de fréquence.

---

1. Nous savons qu'il n'y a aucune différence intrinsèque entre perception et hallucination et que, de plus, toute perception peut comporter une part hallucinatoire.

2. Karl Pribram : « La matière qui nous entoure n'est que l'image en relief (hologramme) d'une réalité faite uniquement d'ondes de fréquence », *Brain and Perception : Holonomy and Structure in Figural Processing*, Hillsdale, N. J., Lawrence Erlbaum Associates, 1991.

D'où l'idée de construction de la représentation de la réalité par l'esprit (Jean-Louis Le Moigne[1]). À quoi s'ajoute l'idée de construction sociale de la réalité, prospectée par les sociologues (Peter Berger, Thomas Luckmann, Klaus Krippendorff).

Ainsi, la réalité du monde extérieur est une réalité humanisée : nous ne la connaissons pas directement, mais à travers notre esprit humain, traduite/reconstruite non seulement par et dans nos perceptions, mais aussi par et dans notre langage, par et dans nos théories ou philosophies, par et dans nos cultures et sociétés.

Pour ma part, je suis co-constructiviste, pensant que nous construisons psychiquement, socialement, historiquement une traduction d'une réalité extérieure à nous.

Qu'y a-t-il derrière toutes nos reconstructions mentales et constructions sociales ? Une « vraie » réalité « voilée », voire cachée (Bernard d'Espagnat) ? Une réalité en soi qui nous serait inconnaissable (Kant) ? Mais y a-t-il une réalité en soi ?

Par ailleurs notre réalité humaine est tissée d'imaginaire : nos rêves éveillés, fantasmes, imaginations, rêveries, souhaits, nos romans, nos films,

---

1. *Le Constructivisme*, tome 1, *Des fondements*, ESF, tome 2, 1994 ; *Des épistémologies*, ESF, 1995.

nos séries télévisées, nos divertissements, sont co-constitutifs de notre réalité humaine. Pendant notre sommeil, nous donnons réalité à nos rêves, et ce n'est qu'au matin que nous la leur retirons. Au cinéma, nous donnons une très forte réalité aux personnages et à leurs aventures, et seule une petite veilleuse dans notre esprit n'oublie pas, durant la projection, que nous sommes des spectateurs dans un fauteuil.

Plus encore, notre réalité humaine produit des mythes, des dieux, des idéologies que nous dotons d'une réalité supérieure à la nôtre, voire, pour les dieux, d'une réalité suprême, bien que produite par nos esprits. La réalité de nos mythes, de nos dieux, de nos idées demeure dépendante des communautés d'esprits qui les nourrissent. Aussi, des dieux meurent, des mythes se dissolvent, des idées passent : leur réalité, absolue pour le croyant, disparaît avec le croyant mais elle a été absolue dans la foi. Ce qui est vrai des dieux est vrai des idées, notamment des grandes idéologies dotées d'une réalité supérieure suscitant une foi ardente : le communisme a été en fait une religion de salut terrestre, qui, comme toute grande religion, a produit des héros, des martyrs et des bourreaux.

Nous considérons comme irréel l'imaginaire des autres qui est pourtant bien réel pour eux, sans nous rendre compte que notre réalité comporte constitutivement de l'imaginaire.

Si nous pouvons douter de la réalité du monde sensible, pouvons-nous dire que l'absolue citadelle de la réalité est dans la certitude du moi, qui se manifeste dans l'absolue affirmation du « Je suis », c'est-à-dire non seulement « Je suis un être humain », mais aussi « Je suis un je », sujet vivant s'affirmant et se situant au centre de son monde ? Il arrive toutefois que la réalité du je s'affaiblisse dans la réalité supérieure du nous, qui devient alors réalité, comme dans nos expériences communes de fusion du moi dans le nous des meetings enflammés, le nous des matchs de football, le nous des danseurs en frénésie, le nous du corps-à-corps de l'amour. En chacun, tantôt le nous ou le je se trouve noyé. Le je est submergé dans les rites de possession, où la personne devient habitée par un *orixá*; elle semble s'évanouir dans son exaltation même qui la conduit à l'extase, fusion et confusion entre soi et l'*orixá*.

L'ultime et absolue citadelle de *notre* réalité est, pour chacun d'entre nous, au cœur de nos souffrances, jouissances, joies, amours, peurs, désirs. Dans cette optique, nos sentiments vécus, subjectifs, nous semblent plus réels que tout. Pour nous, humains, l'affectivité, qui est la subjectivité même, est le noyau dur de notre réalité.

L'ultime et absolue citadelle d'une réalité extérieure à nous est dans ce qui résiste à nos désirs, à nos intentions, à nos actions, et je dirais aussi dans ce qui résiste à nos pensées.

Tout est illusion, rien n'est illusion

Comment comprendre que, malgré notre sentiment d'absolue réalité, notamment dans nos souffrances et nos bonheurs, la réalité de notre monde nous semble parfois faiblement consistante?

Comment se fait-il que notre réalité nous soit tantôt si évidente et familière, tantôt si étrange et inconnue? Comment se fait-il que notre réalité ait tantôt peu de réalité, tantôt une absolue réalité? Quelle est l'absolue réalité et le peu de réalité de la réalité? Quel est le lien entre l'absolue réalité et le peu de réalité de notre réalité? Quelle est la réalité de la réalité[1]?

Nous avons successivement le sentiment très fort de *deux* « vérités » : tout est illusion, rien n'est illusion.

---

1. Paul Watzlawick, *La Réalité de la réalité : confusion, désinformation, communication*, Seuil, 1978.

Examinons notre monde physique ; sa matérialité est réelle, puisque nous l'expérimentons en permanence. L'espace est pour nous absolument réel, puisque nous nous y mouvons sans cesse ; le temps est pour nous absolument réel, puisque, si le présent seul existe, le passé est présent en notre souvenir, puisqu'il ressuscite imaginairement dans notre mémoire et que l'avenir naît à chaque présent.

Les objets physiques, palpables, sont réels, les végétaux, les fleurs, les papillons, les chats, les chiens, les hippopotames. Tout cela est bel et bien réel. Certes, tout cela meurt tôt ou tard, tout se transforme, tout passe, « *Ta panta rhei* », disait Héraclite. Tout est impermanence, disait l'Éveillé. Certes, notre réalité est fragile, promise à évoluer et à disparaître, mais, justement, elle nous semble d'autant plus précieuse qu'elle est éphémère : nous sentons bien que le plus précieux du réel est le plus fragile – la beauté, la bonté, l'amour.

Toutefois, les progrès de la cosmophysique et de la physique quantique ont rétréci et même désubstancialisé notre monde physique. Einstein a relativisé le temps et l'espace qui, à l'échelle cosmique, cessent d'être absolus et fusionnent.

Espace et temps disparaissent aux micro-échelles quantiques : la réalité de notre univers matériel du temps, de l'espace, des objets de notre monde se dissout dès qu'on l'examine dans ses composants microphysiques. La table solide et pleine devient un grand vide dans lequel des atomes épars sont constitués de particules. Puis les particules cessent d'être des objets localisables. La microphysique est autre que notre physique, dont la réalité, pourtant, dépend. Notre temps, notre espace, nos objets, notre logique du tiers exclu y disparaissent : comme l'a montré l'expérience d'Alain Aspect, les particules qui se sont séparées sont en influence instantanée, alors que dans notre réalité nulle communication ne peut s'effectuer au-delà de la vitesse de la lumière. Une particule peut être à la fois en deux lieux différents. Une particule est tantôt onde, tantôt corpuscule et, comme l'indiquait justement Bohr, c'est une contradiction indépassable qui rend complémentaires deux vérités contraires, c'est-à-dire tantôt entité discontinue, tantôt entité continue. En dépit de la contradiction, il y a inséparabilité entre le continu et le discontinu. Or, cet univers microphysique se dissout de lui-même dès qu'il devient compact pour former notre univers physique.

Nous trouvons un paradoxe analogue à l'échelle du gigantesque univers. Le modèle « standard » de la cosmologie suppose un vide originaire, sans temps ni espace mais gorgé d'énergies virtuelles, soumis à fluctuations, où aurait surgi un événement éruptif d'où seraient nés simultanément espace-temps, premières entités matérielles. L'univers émerge en faisant émerger avec lui l'espace-temps qui, pour nous, est dissocié en espace et temps. Puis, des particules se lient en atomes, les astres se forment et flamboient et l'univers qui est le nôtre se constitue. Ce sont des associations organisatrices entre particules, atomes, molécules, astres qui ont accompli l'émergence de notre réalité physique.

Notre réalité n'est pas première, elle est émergente

Comment la réalité de notre univers a-t-elle pu émerger de ce qui, pour elle, est dépourvu de tous les critères de la réalité ?

Ici, la notion d'émergence fournit un éclaircissement décisif, encore qu'elle soit inexplicable. L'émergence est une notion systémique surprenante que les sciences commencent à intégrer. L'émergence est le type de réalité nouvelle, dotée de qualités et propriétés propres, qui se forme, se constitue, se concrétise à partir de l'assemblage organisateur d'éléments non dotés des qualités et propriétés de cette réalité.

Ainsi l'organisation vivante s'est constituée et se constitue sans cesse à partir de molécules physico-chimiques qui ne disposent isolément d'aucune propriété de la vie. Toutefois, la complexité organisatrice du vivant lui donne des qualités inconnues aux molécules : autoréparation, autoreproduction, aptitudes cognitives. La réalité de la vie est issue de la complexité de son auto-organisation qui est en fait auto-éco-organisation, laquelle a besoin de son environnement pour y puiser les énergies nécessaires à son travail ininterrompu (que celui-ci dégrade sans cesse).

Notre réalité d'êtres individuels dotés d'un corps et d'un esprit dans un monde d'objets matériels – végétaux, animaux, maisons, machines, autos, supermarchés – est émergente dans sa réalité même. Cette émergence se poursuit en permanence à partir de constituants microphysiques dénués de localité et où notre temps et notre espace sont inexistants.

Aussi la notion d'émergence peut nous aider à comprendre notre double sentiment antagoniste d'absolue réalité et de relative ou faible réalité de notre réalité. La réalité de notre monde a émergé depuis quinze milliards d'années d'un processus auto-organisateur. L'univers matériel émerge sans cesse à partir d'éléments microphysiques, dénués de matérialité, mais dont la combinaison fait émerger notre matérialité[1]. La matière n'est pas réalité première, mais réalité émergée. Ce qu'on appelle la décohérence est le phénomène par lequel l'association d'un grand nombre d'éléments microphysiques, à partir d'un certain seuil, font émerger notre univers spatio-temporel.

Notre réalité spatio-temporelle, physique et biologique, est donc évidemment une émergence d'une étrange réalité que nous appréhendons avec nos mots, nos instruments de détection, d'observation, d'expérimentation, et qui échappe à notre logique.

Cette réalité microphysique a très peu de réalité par rapport à la nôtre, mais celle-ci dépend de cette réalité sans réalité. La science microphysique ne nous donne que des approches indirectes ou métaphoriques d'un inconcevable et innommable.

Temps et espace sont des émergences apparues dans et par la formation de l'univers. Ils sont réels, tout en ayant une réalité dépendant d'un inconnu qui n'est ni temps ni espace (« vide »?) et qui demeure sous-jacent dans notre réalité. Aussi, notre réalité est absolue, dans nos douleurs comme dans nos amours (dans notre affectivité comme l'avait vu Stéphane Lupasco), parce que l'émergence de notre

---

1. Rappelons que pour la philosophie et la science matérialiste, ainsi que pour le sens commun, la matière semblait la première réalité fondamentale.

monde est une réalité, bien que très dépendante d'un « infra-monde » doté d'une autre réalité où notre temps et notre espace sont non émergés.

Cette réalité émergente constitue en fait une réification (du moins à nos sens et à notre esprit) : réel, venant du latin *res*, chose. La notion de réalité est réifiée en elle-même ; notre univers est une chose gigantesque constituée de choses séparées les unes des autres par le temps et l'espace. Notre réel est chosification.

Toutefois, et je reprends ici une idée de Niels Bohr, que j'ai développée ailleurs, des paradoxes clés de la microphysique se retrouvent d'une certaine façon dans notre réalité physique, biologique et humaine. Ainsi, l'inséparabilité de ce qui est séparé se retrouve de façon particulière dans notre monde et à notre échelle ; ce n'est pas seulement le corpuscule séparé de la microphysique qui est inséparable de l'onde « inséparée », c'est l'individu séparé de l'espèce et de la société qui est en même temps inséparable de l'espèce et de la société. Nous sommes des humains séparés de nos ascendants biologiques, mais nous en sommes inséparables ; nous sommes séparés du monde animal, mais nous sommes inséparables du processus qui est parti de l'unicellulaire jusqu'à nous, comme nous sommes inséparables de l'histoire physique du cosmos dont la vie est issue.

Le plus étonnant est que la conception astrophysique de notre cosmos suppose non seulement un chaos sous-jacent, mais est censée être issue de ce qui semble avoir le moins de réalité : le vide. Or ce vide serait constitué d'énergies virtuelles, infinies, lesquelles en s'actualisant (à la suite d'un événement ou accident étrange) auraient produit cette déflagration thermique nommée métaphoriquement Big Bang. Ainsi, ce qui semble le moins réel, le vide, aurait-il été la source de notre réalité.

Il n'y a donc pas de réalité en soi. Mais il y a une auto-organisation de l'univers qui produit sa réalité.

Ainsi que l'affirme Basarab Nicolescu, il existe des niveaux de réalité, totalement hétérogènes les uns par rapport aux autres, mais tout aussi inséparables et interdépendants. Par ailleurs, il y aurait un niveau invisible permanent de préréalité, infra-réalité ou surréalité co-présent à notre univers, lequel pour le bouddhisme, sous le nom de vacuité, est la réalité suprême, ou *nirvana*, et, pour nous, ce qui échappe à la réalité mais fonde les réalités. Un penseur tao-bouddhiste, tel Fang Yi Zhi, spéculait que *samsara* (notre monde) et *nirvana* n'étaient pas deux mondes séparés, mais deux polarités du même. Nagarjuna allait jusqu'à dire : « Tant que tu fais une différence entre le *samsara* et le *nirvana* tu es dans le *samsara* », comme pour indiquer que *nirvana* est à l'intérieur de *samsara*, de la même façon que *samsara* est à l'intérieur de *nirvana*.

Si l'ensemble des réalités forme le réel, alors le réel est multidimensionnel (Pierre-André Terzian). Je dirais autrement : il faut hypercomplexifier l'idée de réalité.

La réalité hypercomplexe

Le continu et le discontinu, le séparé et l'inséparé sont en même temps inséparables. Illogiquement, le réel et l'irréel sont l'un dans l'autre. L'étoffe de notre réel comporte des nappes, des trous, des émergences qui sont sub-logiques, supra-logiques, a-logiques, extra-logiques, on ne sait trop...

L'émergence est logiquement indéductible : on ne peut que la constater. Ce n'est pas une explication, c'est un mystère propre à la réalité physique.

Le chaos n'est pas seulement antérieur au cosmos, il est intérieur au cosmos. Celui-ci n'est pas qu'ordre : il est dialogique permanente, rétroactive et récursive entre ordre, désordre, organisation. Le hasard, cet inconnu, y est omniprésent.

Même dans notre perception de l'univers humain, la réalité n'obéit à la logique classique que si on la découpe en morceaux séparés.

L'importante question demeure : sommes-nous liés, exilés, séparés des réalités indicibles ? Y participons-nous sans le savoir ? Par fulgurances ? Quelle relation notre esprit pourrait avoir avec une réalité inconnaissable et ineffable ? Les transmissions de pensée vérifiées, les prémonitions et les voyances prédictives vérifiées sont comme des trouées dans le temps (prémonitions, voyances) ou dans l'espace (télépathie) qui indiqueraient que nos cerveaux auraient l'aptitude à participer tangentiellement ou par éclairs à cette réalité inséparée, sans temps ni espace.

Nous sommes entre deux infinis, disait Pascal. La connaissance humaine s'effectue dans une bande moyenne entre ces infinis, zone de pénombre traversée de lueurs. C'est en nous tenant sur cette bande que nous devinons en abîme que le réel excède le pensable, s'y fragmente et s'y dissout. Hors cette bande moyenne, nous n'y pouvons établir nos distinctions, notre logique, nos séparations, et cette extraréalité prend le visage du chaos avant de sombrer dans le vide, lequel comporte une plénitude de virtualités.

La réalité est bien hypercomplexe : elle comporte pluralité, voire héterogénéité, réification, imaginaire, incertitudes, inconnu, et enfin mystère.

Le mystère est dans le réel, peut-être dans les deux sens du mot mystère :

1° inconnaissable, 2° cérémonie profane/sacrée où nos vies jouent et se jouent.

Toutefois, au sein d'une réalité tissée d'irréalité, à la fois absolue et illusoire, souffrir, jouir, naître, vivre et mourir, ces réalités, si fugitives et éphémères, sont notre *vraie* réalité humaine.

CHAPITRE 3

Notre univers

Ne pas contester au monde son caractère
inquiétant et énigmatique.
Friedrich Nietzsche

Est création ce qui est radicalement
nouveau, c'est-à-dire qui n'est pas dérivable de
ce dont il procède, qui n'est pas exhaustivement
déterminé par ce qui le précède.
Cornelius Castoriadis

Est-on comme la grenouille au fond du puits qui ne peut connaître la haute mer ? Non : nous avons des télescopes, des engins spatiaux qui naviguent dans le cosmos, des accélérateurs qui découvrent des particules ; nous connaissons l'expansion des galaxies, les trous noirs, l'énergie noire, la matière noire, mais tout cela révèle à nos esprits la fabuleuse immensité, l'étonnant prodige de l'univers et nous conduit, sinon au mystère, du moins à l'énigme.

Nulle science, depuis Hubble, n'a autant progressé que l'astronomie, devenue cosmologie.

Nul n'a suscité autant de riches et profondes pensées et réflexions, et notamment Michel Cassé, Hubert Reeves, Trinh Xuan Thuan, Jean-Pierre Luminet ; nul n'a produit autant de compréhension et une aussi profonde incompréhension sur l'origine, la nature, le devenir, la destinée de l'univers.

Nous découvrons l'étrangeté absolue de cet univers dont sont issus nos esprits et dont nous sommes les minuscules enfants.

Création

Commençons par le commencement. Si tant est qu'il y ait eu commencement.

D'après la conception actuellement admise, une déflagration thermique inouïe, suscitant un déchaînement énergétique a fait naître notre univers. Ce qui a suscité cet événement générateur est inconnu. Ce qui est antérieur à l'événement est supposé être un vide, mais ce vide ne serait pas vide, il serait soumis à des fluctuations quantiques, contiendrait des particules virtuelles et, surtout, disposerait d'énergies virtuelles quasi infinies, lesquelles se seraient actualisées dans le déferlement « big-banguesque ».

On met des mots pour boucher les trous de l'indicible : vide, potentialités, Big Bang, singularité.

Le Tao dit mieux : « Le sans-nom est à l'origine du ciel et de la terre. » L'éventuel vide non vide échappe à toute conception rationnelle. Cette notion de vide qui n'est pas vide trahit une impuissance réelle à trouver dans le langage un terme qui définirait cet état contradictoire. Elle trahit aussi la crainte de l'incompréhensible que l'on masque en lui donnant un nom malheureusement vide.

Ainsi notre univers ne serait pas né de rien, du « néant » *ex nihilo*, ni même d'un vide qui serait vraiment totalement vide, mais d'un vide porteur en lui d'infinies énergies potentielles. Si d'infinies énergies sont seulement potentielles dans le vide originaire, cela signifie aussi que tout y est indistinct, rien n'y est séparé. Autrement dit, il n'y a ni espace ni temps, qui sont les séparateurs permettant l'existence d'un univers avec une pluralité d'objets et entités séparés ainsi que leur évolution.

Mais, alors, ce commencement serait une métamorphose, comme celle de la libellule qui est l'extraordinaire produit aérien de la métamorphose d'une larve rampante ?

Ce qui nous renvoie au problème lancinant : ce vide serait-il éternel, donc incréé, ou bien aurait-il eu un commencement propre ? Et qui nous dit que ce commencement ne coïnciderait pas avec la fin d'un cycle, selon l'hypothèse de Roger Penrose ? De façon voisine, Étienne Klein suppose que la contraction extrême d'un univers précédent aurait pu provoquer la naissance d'un univers allant se dilater. Les deux hypothèses nous renvoient au problème logiquement insoluble : ce cycle a-t-il un commencement ? À partir de quoi ? S'il était éternel, en vertu de quoi ? Nous arrivons à une aporie logique, à une limite de notre raison, bien perçue par Kant, quand nous nous heurtons à l'inconcevabilité d'un commencement à partir de rien, ou d'une éternité sans commencement. Naître ou ne pas naître, telle est la question !

Hegel avait montré qu'être et néant étaient synonymes, puisque aucune détermination ne limite l'un et l'autre. L'être pur est l'indéterminé, de même que le pur néant, l'un dans la plénitude absolue, l'autre dans la vacuité absolue. Alors que notre vide originel serait synonyme d'une plénitude de potentialités, qui, une fois libérées, deviendraient créatrices d'un univers. Ou, peut-être, d'une pluralité ininterrompue d'univers, telles des bulles de champagne, selon l'expression de Michel Cassé.

L'étrangeté ne serait pas seulement dans ce vide non vide dont est issu notre univers, elle serait aussi dans cette naissance même. Serait-elle un pet du vide ? Un ectoplasme sécrété par le sans-nom ? Un jeu ? Drôle de jeu.

Est-ce par accident ou nécessité que du vide[1] a jailli lumière, puis matière, et que s'est organisé un univers ?

Une hypothèse indiquée par Frédéric Nef[2] ferait naître notre univers de la collision entre deux univers branes, ce qui nous ramène au mystère de l'origine de ces univers branes et de leur tamponnement.

Autre hypothèse : Ilya Prigogine voyait à l'origine non une singularité, mais une instabilité. Non un vide, mais un avant-univers comportant un temps primordial, non une déflagration thermique, mais un jaillissement entropique, non un commencement, mais un changement de phase. Cette hypothèse comporte elle aussi d'énormes difficultés pour concevoir aussi bien l'avant-commencement que le commencement lui-même.

---

1. Du reste, remarque Michel Cassé, notre univers est presque vide, si l'on cesse d'être obnubilé par les milliards d'astres et que l'on considère le vide immense entre galaxies et astres. Il est presque vide si l'on considère que les objets apparemment denses et solides de notre univers quotidien sont en fait avant tout du vide parsemé d'atomes de loin en loin.

2. Frédéric Nef, *La Force du vide*, Seuil, 2011.

Quant à Étienne Klein, il exprime surtout son incertitude sur l'origine : « Nous n'avons pas la preuve scientifique que l'univers ait été précédé par rien, nous n'avons pas non plus la preuve scientifique que l'univers n'a pas eu d'origine... La question : y a-t-il eu une origine ?... On ne sait pas[1] ! »

Dans toutes ces hypothèses, la naissance peut être convertie en métamorphose, étant bien entendu que la métamorphose donne toujours naissance à une nouvelle réalité.

Pour les Grecs, Chaos était père de Cosmos. Le chaos n'est pas le désordre (vision réductrice). C'est ce qui porte en lui, de façon indistincte, les potentialités d'ordre, de désordre, d'organisation. Le passage du chaos au cosmos est l'actualisation de ces potentialités qui deviennent alors des forces à la fois complémentaires et antagonistes. On peut penser que la notion de chaos, telle que je viens de l'indiquer, recouvre en partie le vide préoriginel, puisque celui-ci porte en lui indistinctement, à l'état potentiel, les énergies qui jailliront de façon éruptive pour créer l'univers.

De plus, l'on peut dire que notre univers garde quelque chose du chaos dans sa dialogique ordre/

---

1. Cf. Étienne Klein in *La Recherche*, hors série « Le temps », p. 52.

désordre/organisation, termes à la fois complémentaires et antagonistes dans l'inséparabilité de l'ordre et du désordre, dans les processus imprédictibles, dits chaotiques, de plus en plus détectés dans ce qui semblait obéir à un ordre impeccable (comme en millions d'années la vitesse de rotation de la Terre autour du Soleil se modifie), dans les incertitudes du devenir, dans les désastres (chocs d'astres, mort violente d'étoiles massives, trous noirs). Et, sur terre, dans les percussions d'astéroïdes, dans les éruptions volcaniques, dans les extinctions massives d'espèces vivantes à la fin du primaire.

Castoriadis a pressenti le lien entre ce qui est appelé vide et chaos, puisqu'il utilise souvent l'expression « Chaos/Abîme/Sans-Fond ». Et, pour lui, le Chaos/Abîme/Sans-Fond n'est pas une dimension distincte du cosmos, mais plutôt l'« envers » de toute chose, l' « envers de tout endroit [...] ce qui est derrière ou en dessous de tout existant concret, et c'est en même temps la puissance créatrice – *vis formandi*, dirait-on – en latin –, qui fait surgir des formes, des êtres organisés ».

Il est curieux de se reporter au livre de la Genèse. « *Bereshit bara Elohim* » : « Au commencement Elohim sépara »...

Bereshit est un « au commencement », qui commence par la seconde lettre de l'alphabet hébreu, synonyme du chiffre 2. Le commencement opère et constitue par lui-même une dualité, c'est-à-dire une séparation : séparation de la terre et du ciel, dit la Bible, en fait séparation par le temps et par l'espace des choses de l'univers. Enfin, *Elohim* est un singulier pluriel, pluralité d'esprits ou dieux en Un, ou, en termes physiques, tourbillon émergeant d'une pluralité de forces liées. (Remarquons que le tourbillon est une forme génésique dans l'univers, dans la formation des nébuleuses spirales, et, peut-être, à l'origine de la vie, organisation émergeant d'un tourbillon de molécules associées.)

Nous revoilà, de façon métaphorique, devant un événement créé/créateur d'un univers se séparant de son vide originaire (tout en lui en restant inséparable) et portant en lui la séparation par et dans l'espace et le temps. Selon la Gnose, la Kabbale, Origène, le monde serait issu d'une déchéance ou désintégration de la perfection divine et le mal serait dans les choses séparées. Si *diabolos* est ce qui sépare, l'acte de création d'un monde est un acte diabolique qui désunit. Mais cet acte diabolique est tempéré par une force d'union qui lui est divinement complémentaire, puisque, nous avons commencé de le voir, tout ce qui est séparé est d'une certaine façon inséparable et tout ce qui est inséparable est d'une certaine façon séparé.

La singularité de l'événement génésique est de constituer un flamboiement inconcevable (*fiat lux*, « et la lumière fut ») évoquant le « feu » créateur héraclitéen. L'univers n'a pas de créateur, il s'auto-cré à partir d'une déflagration initiale. Cette création est métamorphose d'un état d'indistinction en état organisateur. Nous pouvons échapper à tout créationnisme préjugeant un Créateur de nature divine, antérieur et supérieur à notre univers, et qui l'aurait créé de l'extérieur.

L'hypothèse de l'autocréation (que la théologie réserve au Dieu créateur) peut être, en vertu du rasoir d'Occam (principe de simplicité), directement appliquée à notre univers lui-même : celui-ci s'est autocréé en créant simultanément particules, ondes, temps et espace, et il s'est auto-organisé en créant une dialogique à la fois conflictuelle et coopératrice : ordre/désordre/interaction/organisation.

Nous pouvons échapper au grand dessein. D'où viendrait-il ? Qui l'aurait formé ? Nous pouvons échapper au grand algorithme, projection technocratique de la pensée mathématique aux origines. Nous pouvons échapper à l'intention primordiale tout en reconnaissant qu'il y a dans l'univers, dès sa naissance, un « vouloir-vivre », *Wille zum Leben*, selon Schopenhauer.

Les principes d'ordre (il en est peut-être d'inconnus) sont les quatre « lois » : gravitation, électromagnétisme, interactions nucléaires fortes, interactions nucléaires faibles. Le désordre est omniprésent dans l'agitation calorifique – second principe de la thermodynamique –, les événements et rencontres sont aléatoires, c'est-à-dire dus au hasard.

Le hasard est enfant de chaos demeuré dans le cosmos. Il est présent partout, mais l'univers ne relève pas du seul hasard. Le hasard n'est peut-être pas le hasard. Gregory Chaitin le définit par l'incompressibilité algorithmique, dont le non algorithmable, mais il est impossible de savoir si le hasard « cause de toutes les surprises » (Valéry) relève du hasard.

Il est remarquable que notre univers n'aurait pu se concrétiser qu'à partir du « réglage » très précis de quinze constantes (à 1/106-0).

Cet apparent réglage sert d'argument aux partisans d'un dessein intelligent, qui aurait permis la vie et, finalement, la venue d'*Homo sapiens*, lequel, par coïncidence, aurait un bel avenir devant lui, puisqu'il est apparu dans la jeunesse d'un Soleil qui a encore quatre à cinq milliards d'années d'espérance de vie.

Certains astrophysiciens, à l'instar de Michel Cassé, pensent que jaillit sans cesse une infinité d'univers du vide, mais que, faute de réglage organisationnel, ils éclatent comme bulles de savon. Notre univers si bien réglé serait ainsi le fruit d'un hasard extraordinaire.

La grande émergence

« Un univers seulement unifié serait statique », disait justement Prigogine. La loi de l'univers n'est pas une : c'est la loi dialogique, fondée sur la complémentarité des antagonismes, laquelle ne supprime nullement les antagonismes. La loi dialogique nous dit aussi que tout ce qui est séparé est lié.

Toutes les recherches de loi suprême du Tout veulent trouver le fondement d'un monde qui n'a pas de fondement, car il émerge d'une organisation elle-même émergente d'un jaillissement énergétique premier, lui-même opérateur d'une métamorphose.

La puissance créatrice de l'univers physique se manifeste par des milliards d'occurrences dans la collision et collusion entre la poussée gravitationnelle qui agglomère les poussières cosmiques pour en faire des astres et l'allumage en mise à feu surgissant de la concentration de matière stellaire. Alors, pendant des milliards d'années, l'étoile s'autocrée et s'auto-organise continûment entre implosion et explosion. La puissance créatrice se déchaîne dans la naissance ininterrompue de milliards d'étoiles, la profusion de galaxies, et, au moins, sur une petite planète, la naissance et le déploiement luxuriant de la vie.

Mais création est inséparable de destruction ; la création de particules et de noyaux atomiques coïncide avec les chocs entre particules de matière et d'antimatière qui annihilent l'antimatière. En même temps que le principe de création/organisation se déploie non moins universellement le principe de désintégration, dispersion, mort qu'a révélé partiellement le second principe de la thermodynamique qui édicte la dégradation irréversible des énergies dans le temps.

D'où ce paradoxe que j'ai examiné ailleurs[1] : c'est en se désintégrant que l'univers s'organise. Blanqui (1872) a exprimé une face de cette vérité : « L'univers est une catastrophe permanente. » Le mouvement inouï de création d'organisations s'est-il produit pour contrer le désastre de la déflagration initiale ?

L'univers porte en lui une tragédie insondable, qui se retrouve dans nos destinées humaines. Toutes les philosophies d'un monde harmonieux n'en voient

---

1. *La Méthode,* 1, p. 33-93, Seuil, coll. « Points ».

qu'un aspect et ignorent sa tragédie. Or l'univers vit de manière héraclitéenne de discorde et concorde, d'harmonie et de disharmonie. Les galaxies se tamponnent, les étoiles explosent, les cataclysmes ont menacé l'ensemble du monde vivant à la fin du permien. L'histoire humaine n'est pas seulement celle de la naissance et de l'épanouissement des civilisations, mais aussi celle de leur mort. L'univers est puissance inouïe de création et puissance inouïe de destruction... La dialogique ordre/désordre/organisation porte en elle vie et mort tout à la fois.

Répétition, réitération, recommencement sont nécessaires à l'existence des étoiles, des vivants, des humains, des sociétés. Mais non moins nécessaires sont la naissance, l'innovation, la création. Et inévitables la désintégration, la dégénérescence, la mort. L'univers est toujours naissant et toujours mourant. La voie revient à son contraire (Tao).

Un monde parfait serait impossible. Il serait ordre pur, incapable d'évoluer. La perfection n'est ni de ce monde ni d'aucun monde. Le monde a besoin d'imperfection, c'est-à-dire de désordre, donc d'être travaillé par la mort. L'imperfection est nécessaire au monde. Le meilleur des mondes possibles semble être aussi le pire des mondes possibles...

Pourrions-nous savoir s'ils coïncident l'un avec l'autre ?

L'univers subit un grand et terrible destin, mais n'obéit pas à un grand dessein du type teilhardien, qui serait la complexification. La complexification de la matière dans la vie est hypermarginale, limitée probablement à notre petite planète, et, dans le meilleur des cas, à quelques planètes parmi des milliards d'autres. La complexification de l'humain dans la vie est-elle même hypermarginale dans une évolution buissonnante en tout sens. Il est difficile de la concevoir comme finalité principale de l'univers. Si dessein il y a, il est mystérieux, inconnaissable. Il dépasse toute raison, il est absurde. Rien n'empêche d'y croire en vertu du *credo quia absurdum*.

Nous sommes projetés devant le mystère d'un univers qui est émergence, idée que je partage avec Marc Halévy[1]. Tout l'univers s'est construit et demeure construit sur le principe d'émergence.

L'univers a émergé dès qu'il a commencé à s'organiser : espace et temps sont des émergences de son organisation, non des constituants premiers. Toutes les qualités et propriétés de cette organisation

---

1. Marc Halévy, *Un univers complexe. L'autre regard sur le monde*, Oxus, 2011, p. 37 *sqq.*, et aussi p. 105 *sqq.*

(gravitation, électromagnétisme, interactions nucléaires fortes et faibles) sont émergentes. Notre réalité est émergente. Le temps n'existe que dans et par cette émergence, et l'espace n'existe que dans et par cette émergence[1].

Les qualités propres de notre univers sont des émergences dénuées de toute existence, hors de lui, y compris dans ses soubassements microphysiques où espace, temps, objets séparés se dissolvent.

Le temps et l'espace existent et n'existent pas.

« On a pu montrer que les lois de Newton qui sont les colonnes du temple physique sont émergentes si on considère par exemple avec Robert B. Laughin que "ces lois ne sont pas fondamentales, mais sont le résultat de l'agrégation d'une matière quantique en solides et en fluides – un phénomène organisationnel collectif"... On sait à propos du champ de Higgs que l'on peut faire ou voir émerger du vide un champ doté de propriétés physiques[2]. »

La physique réduit l'univers en objets constitutifs divers, des particules jusqu'aux astres, et en « forces » telles que gravitation, électromagnétisme.

---

1. Peut-être même que l'« espace-temps qui relie les masses disposées dans le cosmos est fictif. C'est, comme le pensait Leibniz contre Newton, une étendue relationnelle mais pas physique » (Bernard Dugué, http ://bdugue.typepad.com/).
2. Frédéric Nef, *op. cit.*, p. 175 *sqq.*

La physique a recensé les lois d'ordre. Elle a découvert le principe du désordre dans l'agitation calorifique et sa loi inéluctablement mortelle dans le second principe de la thermodynamique. Elle a découvert l'énergie noire qui conduit l'univers à sa dispersion. Mais elle n'a pas reconnu le principe d'organisation. Or, toute organisation est créatrice de qualités ou réalités nouvelles par émergence. L'essor, souvent complexifiant des organisations, produit (crée), à chaque nouvelle organisation, de nouvelles qualités émergentes.

De même, la physique n'a pas traduit en ses termes le conflit cosmique gigantesque entre destruction/organisation, mort/vie, qui a commencé dès la naissance de l'univers et se continue à travers nous dans le conflit et la complémentarité du bien et du mal : c'est Éros (forces de liaison, d'association, d'union) et Thanatos (forces de dissociation, conflit, destruction). Ils se combattent sans trêve, mais ils ne peuvent se séparer ni survivre l'un sans l'autre. Ce qui se passe dans le cosmos se continue autrement dans l'humanité.

Nous pouvons avoir l'impression que l'univers se bat (se débat?) dès ses débuts pour sa propre vie contre sa propre mort. « Tout ce qui est né mérite de mourir », disait Nietzsche. Étant né, il est voué à la mort; d'une part, la désorganisation finira par dissoudre les organisations, d'autre part, l'énergie noire qui disperse semble avoir le dessus sur la gravitation qui rassemble.

Notre univers arrivera à sa fin et nous ne pouvons savoir si ce sera la fin de tout, ou sa propre fin pour donner naissance à un autre univers. À moins que ce ne soit pour assurer le retour au vide nirvanien initial.

Mais, depuis Hubble, nous l'avons dit, les immenses progrès des découvertes sur notre univers ont apporté des connaissances inouïes.

Comment ne pas être ahuri et émerveillé par ce feu qui constitue par milliards les astres et les fait vivre des milliards d'années ? Dans la vie des étoiles, le feu qui consume est en même temps coorganisateur[1]. Il y a dans les étoiles à la fois folie de feu et organisation faite avec ce feu. « Tout se convertit en feu et le feu se transforme en tout » (Héraclite).

Certes, on comprend qu'une dialogique entre forces compressives gravitationnelles et forces explosives déclenchées dès l'allumage maintienne

---

1. Il y a en nous, atténué, quelque chose des étoiles, et la passion nous fait revivre leur feu : « Toutes nos passions reflètent les étoiles » (Victor Hugo). Il y a en nous combustion, comme dans les étoiles, mais dans notre corps la combustion est plus lente ; il y a en nous, comme dans les étoiles, le mariage de la folie incendiaire et de la raison organisatrice.

une régulation qui entretienne la vie de l'astre. Mais une régulation de feu est stupéfiante. Pendant des milliards d'années, un feu fou rugit, bave, éructe en ses protubérances démesurées, comme s'il voulait tout dévorer et tout détruire, et il est sans arrêt dompté. Toutefois, comme dans la vie, il y a des morts violentes d'étoiles.

Comment ne pas être abasourdi par les trous noirs ? « Ils nous enseignent que l'espace peut être froissé, à l'instar d'un morceau de papier en un point infinitésimal, que le temps peut être éteint comme une flamme de bougie que l'on souffle et que les lois de la physique ne sont ni sacrées ni immuables » selon le grand John Wheeler.

70 000 milliards de milliards d'étoiles visibles ont été recensées, plus encore d'étoiles invisibles, et 200 milliards de galaxies.

Notre système solaire baigne dans une bulle de gaz raréfié, très chaude, 1 million de degrés, long de 1000 années-lumière. Que signifient ces chiffres énormes, mais également les chiffres non moins « astronomiques » de l'univers microphysique Et notre corps, qui comporte des milliards de cellules ? Ces chiffres ne nous masqueraient-ils pas une continuité gigantesque ?

Certes, sous un certain regard, l'univers se décompose en miettes infinies et, sous un autre, peut-être révélerait-il un colossal organisme. De même que dans notre organisme les cellules meurent par myriades pour être remplacées par d'autres, nos molécules se décomposent pour être remplacées par d'autres, de même dans l'univers les trous noirs, morts d'étoiles, sont des manifestations d'une vie cosmique.

Y a-t-il une intelligence qui se serait dégagée du chaos ? Y aurait-il dans l'organisation cosmique quelque chose qui aurait un caractère cognitif ?

Ne cherchons pas la vie dans les planètes, cherchons les étranges intelligences qui seraient possibles dans l'univers.

Les trous noirs de la physique

Il n'y a pas que les inconnues et mystères qu'ont apporté paradoxalement les progrès de la connaissance physique. Il y a aussi les problèmes devenus insolubles qu'ont générés ces progrès. Ainsi en est-il de la nécessité, mais aussi de l'impossibilité, de relier la relativité einsteinienne et la physique quantique, qui ne dévoilent chacune qu'un aspect de l'univers tout en occultant l'autre. Il y a les difficultés logiques et mathématiques auxquelles se heurte la conception cosmologique standard, qui est de plus en plus remise en question sans qu'elle puisse pourtant encore être remplacée. Il y a, de ce fait, l'aspiration à une « nouvelle physique » qui révolutionnerait l'actuelle comme la relativité einsteinienne et la physique quantique ont révolutionné l'ancienne.

En attendant que naisse cette nouvelle physique, le temps est devenu essentiel dans l'univers à partir de la thermodynamique puis de l'astrophysique de Hubble ; le temps est devenu essentiel, depuis Lamarck et Darwin, pour comprendre la naissance et les évolutions buissonnantes de la vie ; pour comprendre l'hominisation, l'apparition d'*Homo sapiens* et toute la destinée humaine.

Or, sachons-le, l'axe essentiel de notre univers, le temps, est et restera incompréhensible. C'est pourquoi la physique l'avait superbement ignoré jusqu'à Sadi Carnot (1824), puis longtemps maintenu isolé dans les « systèmes clos » pour l'empêcher d'envahir l'univers. Cette invasion est arrivée avec Edwin Hubble, en 1929. Désormais, tout ce que l'on connaît de ce qui naît, vit et meurt repose sur de l'inintelligible et de l'insondable.

Cela dit, il est certain que l'univers dispose d'une prodigieuse créativité systémique qui, rassemblant et organisant divers éléments, crée un tout doté de nouvelles qualités émergentes. Ainsi en est-il des molécules, créatrices de qualités inconnues, et des atomes qu'elle associe. Ainsi en est-il des astres, créateurs non seulement de leur feu et d'un système de satellites planétaires, mais d'atomes nouveaux en leur sein, tel l'atome de carbone par association instantanée de trois noyaux d'hélium et créateurs de tous les matériaux qui seront nécessaires à l'association organisatrice nommée vie sur la troisième planète d'un jeune soleil de banlieue.

Le monde humain est à l'image de l'univers, avec ses organisations, son ordre, ses désordres, ses reliances, ses ruptures, ses attractions, ses fureurs, ses explosions, ses naissances et morts de civilisations, ses trous noirs, ses créations, son devenir incertain.

L'astrologie traduit notre sentiment (obscur? inné?) d'être relié personnellement aux planètes... En tout cas, nous sommes enfants du cosmos. Chacun d'entre nous porte en lui des particules nées aux débuts de l'univers, des atomes forgés dans le cœur ardent d'étoiles antérieures à notre Soleil, de molécules formées sur terre ou atterries d'aérolithes, d'ancêtre(s) unicellulaire(s), de pluricellulaires eucaryotes, puis d'animaux, poissons, amphibies, mammifères, primates... Nous portons l'histoire du cosmos et celle de la vie, mais nous en sommes séparés par l'originalité de notre culture, de notre langage, de notre conscience. L'univers est en nous, nous sommes en lui.

Dans quelle aventure s'est-il lancé ? Dans quelle aventure nous a-t-il lancés ?

CHAPITRE 4

La vie, révolution dans l'évolution

Tous les vivants savent qu'ils sont mortels,
la preuve est qu'ils luttent et savent lutter
contre la mort, mais ils n'en ont pas
la présence consciente.

La vie a été engendrée par l'univers physique dans une infime planète.

La vie est à la fois en discontinuité et continuité avec le monde physico-chimique.

Elle est continuité de par sa constitution faite d'associations moléculaires. Elle est en continuité avec le processus terrestre de complexification physico-chimique. Elle est en continuité de par sa naissance, due à un ensemble de conditions et d'événements physico-chimiques dont sans doute des conditions thermodynamique spéciales (tourbillons) qui ont produit un type d'organisation qui, bien qu'intégralement inter-macro-moléculaire, est beaucoup plus ample et complexe que les organisations macromoléculaires. Cette organisation est en continuité avec toutes les organisations physico-chimiques qui produisent des qualités nouvelles ou émergentes. Elle est en continuité dans la dialogique propre à l'univers physique ordre/désordre/organisation, laquelle va se déployer dans les écosystèmes et la biosphère. Elle est en continuité dans la dialogique des associations et dissociations qui vont créer symbioses, parasitismes, sociétés et dispersions, concurrences, conflits. Elle est en continuité avec la dialogique création/destruction déjà en œuvre dans l'univers.

Mais elle est aussi en discontinuité, et, par là, et c'est une nouveauté prodigieuse dans le type d'organisation qui est le sien, l'auto-organisation qui produit son autonomie.

Elle est en discontinuité dans sa dépendance à son environnement où elle doit puiser nourriture et information. Elle est en discontinuité de par la nature des qualités émergentes que produit l'auto-organisation qui sont l'autonomie et, au sein de l'autonomie, la captation d'énergies extérieures pour s'alimenter, l'autoréparation, l'autoreproduction. Elle est en discontinuité par l'aptitude cognitive, l'émergence de l'intelligence et de la sensibilité. La discontinuité organisationnelle est radicale : l'auto-organisation vivante constitue dans l'ADN un engramme génétique s'activant en programme, lequel s'applique aux protéines ; ce double système combinant ADN durable et reproducteur aux protéines fragiles et provisoires est une création organisatrice (émergence) d'où va naître la créativité proliférante de formes et organes de la vie en discontinuité avec la créativité physico-chimique, qui est systémique.

La vie est en discontinuité parce qu'elle dispose d'une finalité qui anime un formidable vouloir-vivre, à la fois chez l'individu et chez l'espèce, les fait lutter en permanence contre la mort et invente la reproduction. Elle est en discontinuité dans sa relation intime et particulière avec la mort, qui est à la fois résistance, combat et intégration.

Si la vie intègre la créativité physique qui se manifeste essentiellement par les émergences issues des organisations, elle est en discontinuité en apportant la créativité biologique qui se manifeste par la reproduction et par l'innovation. La discontinuité se manifeste dans et par l'apparition de myriades d'espèces diverses, végétales et animales, dans une multiple créativité d'organismes et d'organes.

Quel double saut de complexité dans l'apparition du biologique ! À la fois une auto-organisation qui produit continûment de la vie et une autoreproduction qui la multiplie !

Comme nous allons le préciser plus loin, la vie constitue sa plus radicale discontinuité dans ce double saut de complexité : celui de l'auto-éco-organisation, celui de l'autoreproduction par scissiparité d'abord, puis germination et/ou sexualité.

La vie est un phénomène extraordinaire dans l'univers physico-chimique, d'autant plus extraordinaire qu'elle en est issue en cessant de lui ressembler. Tout est étonnant en elle, organisation, reproduction, qualités émergentes. Et, pourtant, tout est trivialisé : par son regard analytique, le biologiste ne voit que des molécules. Les mots programme, information, hasard, molécules occultent la complexité de l'organisation vivante et banalisent la vie en la réduisant à des termes informatiques et chimiques certes utiles, mais réducteurs. Seul l'esprit poétique, qui revient parfois en chacun, s'étonne, s'émerveille, se désole de vivre.

L'auto-organisation, notion capitale apparue et développée au milieu du XXᵉ siècle chez les penseurs de la « machine vivante », tels Heinz von Foerster et Henri Atlan, a été ignorée par les biologistes qui auraient dû l'utiliser et la développer. Certains, forts de leur science réductrice, ne voyant que des constituants moléculaires, étaient même arrivés à affirmer que la vie n'existe pas[1].

Vivre est une évidence alors que le mystère est dans cette évidence. Nous-mêmes, la plupart du temps, vivons l'évidence du vivre sans nous interroger. Qu'est-ce que vivre ? Pourquoi vit-on ? Mais dès que la question est posée, l'évidence devient énigme ou mystère.

La réponse de la vie à la mort : la re-génération et la régénération

Bien qu'intégralement physico-chimique dans ses constituants, le biologique est original et spécifique dans son organisation et ses qualités. Née de rencontres/associations physico-chimiques, la vie les organise et les contrôle, tout en dépendant d'elles. Le biologique obéit au physique pour le faire obéir au biologique.

Sa naissance semble avoir été dépendante d'innombrables hasards et coïncidences qui ont permis l'association/combinaison d'innombrables

---

1. Alors que la vie est l'ensemble des qualités émergeant de l'auto-organisation nucléo-protéinée.

macromolécules, ainsi que de circonstances exceptionnelles de naissance : tourbillons, orages. Francis Crick a même supposé que certaines molécules seraient arrivées par aérolithes ; une nouvelle hypothèse suppose que la collision cataclysmique avec un bolide céleste ait entraîné entre autres la formation d'un champ magnétique protégeant l'atmosphère, propice à la vie. Jacques Monod pensait à une naissance unique sur terre, vu que tous les vivants ont le même code génétique et la même organisation nucléo-protéinée. La vie serait donc solitaire sur une petite planète, dans le gigantesque cosmos.

Certains, se fondant sur la thermodynamique prigoginienne, pensent que la formation de la vie ne serait pas si extraordinaire, et, vu la surabondance probable de planètes ayant des caractères analogues à la Terre, qu'il y aurait certainement d'autres formes de vie dans l'univers. Mais aucun signe de vie n'en a été détecté. Et, sur terre, aucun autre type d'organisation vivante que celle commandée par la relation ADN-protéine n'est apparue.

La naissance de la vie a dépendu de coïncidences très aléatoires, mais, aussitôt née, la vie a manifesté un formidable vouloir-vivre.

C'est que, dès sa naissance, la vie a été parasitée par la mort.

L'auto-organisation du vivant est soumise sans cesse à la désintégration. Son activité permanente comporte dépense d'énergie et processus de dégradation conduisant à la mort, d'où la nécessité de puiser de l'énergie, de l'organisation et de l'information dans l'environnement. L'autonomie du vivant ne peut s'entretenir que dans la dépendance à l'égard de son écologie : d'où le concept clé d'auto-éco-organisation. Et ce paradoxe : l'autonomie a besoin d'être dépendante pour être autonome.

La vie est un travail permanent (battements du cœur, circuit sanguin, respiration pulmonaire, y compris durant le sommeil) qui consomme ses énergies et la conduit à la mort, procédant en même temps à un travail permanent de lutte contre la mort. Comme toute activité vivante consomme de l'énergie, il lui faut trouver de l'énergie dans son environnement, c'est-à-dire s'alimenter. La vie est condamnée à se nourrir sans cesse. Tous les vivants, unicellulaires, plantes, animaux éprouvent ce besoin. Les plantes ont acquis leur énergie par leurs feuilles et s'alimentent par leurs racines. Les animaux ont dû inventer nageoires, pattes, ailes pour aller à la recherche de nourritures, qui, animales, sont aussi des proies à chasser. L'activité vivante produit la mort qu'elle combat en annihilant d'autres vies et, dans le cas des polycellulaires, en faisant mourir ses propres cellules pour les remplacer par des nouvelles.

Plus la vie s'est complexifiée, plus elle s'est fragilisée, plus elle a été menacée par la mort, plus elle s'est organisée pour lui résister, y compris en utilisant la mort de ses cellules. Ainsi les cellules qui composent un organisme humain, soumises à un processus de dégradation inéluctable, se suicident pour être remplacées par d'autres. Ce processus de régénération, en même temps de rajeunissement, permet d'utiliser la mort des cellules pour vitaliser l'individu global : 500 000 de nos cellules meurent à chaque seconde ; 30 millions chaque minute. Et nous en sommes totalement inconscients. Xavier Bichat disait très justement que la vie est l'ensemble des fonctions qui résistent à la mort, il faut ajouter : « en y intégrant la mort ».

Comme l'univers, mais d'une façon nouvelle, la vie s'autoconstruit en s'autodétruisant ou s'autodétruit en s'autoconstruisant. Comme vivre c'est aller vers la mort en la combattant, la vie travaille à vivre en travaillant à mourir et la vie travaille à mourir en travaillant à vivre.

Le temps est la condition pour vivre, la mort est le prix à payer pour vivre. Mourir et vivre sont antinomiques et inséparables.

La part de la vie qui est espèce échappe à chaque reproduction à la mort, mais la part individuelle la subit. Chaque agonie est atroce.

Pour retarder l'échéance de la mort, la vie a inventé la reproduction qui est à chaque fois une victoire provisoire contre la mort.

Dès le début, la vie a « compris » que, pour durer, il fallait se reproduire, elle a donc inventé le plus étonnant système : scissiparité, séparation ou rupture de la double hélice d'ADN en deux moitiés, puis la formation, dans chaque moitié, d'une double hélice complète ; mystérieuse opération qui comporte division d'un être et reconstitution de deux êtres à partir de deux moitiés génératrices, alors qu'une reproduction, selon la rationalité technique, devrait obéir à la logique d'une machine de Turing qui produit une description puis une reproduction d'elle-même à partir de cette description.

L'auto-éco-organisation de l'être vivant est déjà étonnante, mais, le plus surprenant, est l'autoreproduction de sa propre organisation complexe, qui va bien au-delà de l'autoréplication de certains cristaux. Tout se passe comme si l'être vivant archaïque avait subi un choc qui avait failli le briser et qu'il s'était reproduit à partir de cette brisure. Quoi qu'il en soit, il faut supposer une intelligence créative étonnante pour inventer cette solution.

Dès le premier vivant, la vie a choisi de se multiplier : la scissiparité des unicellulaires, puis la sexualité des plantes et animaux, tout ce qui est vivant *doit* se multiplier. C'est la mort qui a stimulé la vie à se reproduire, à se multiplier, à protéger ses germes et ses œufs.

La reproduction a évolué de façon étonnamment inventive chez les végétaux et les animaux. Il y eut le germe concentré du patrimoine héréditaire de la plante contenu dans une cellule spécialement vouée à la reproduction, puis la fécondation sexuelle entre un élément mâle et un élément femelle, ce qui permet de développer à l'intérieur d'une espèce la diversité qui donne à la vie richesse de possibilités et capacité de résistance aux aléas et maladies. La vie, avec la reproduction sexuée, devient double dans son unité. L'individu est rapidement mortel, l'espèce, en ne cessant de se multiplier, résiste efficacement à la mort sans toutefois pouvoir finalement y échapper.

La reproduction (duplication, germe, sexe, sperme, œuf) est une réponse vitale aux innombrables périls mortels surgissant de l'environnement et à l'inéluctabilité de la décomposition pour toute organisation. Mais, du même coup, dès la reproduction, par germe ou œuf, l'organisation vivante a dû accepter, préparer la mort de l'individu pour la survie de l'espèce.

Dans certaines espèces, la mort de l'individu est quasi programmée, ou du moins prédéterminée (apoptose des feuilles d'un arbre).

L'union dialogique de l'espèce et de l'individu correspond non seulement à la double finalité rotative où l'espèce a pour fin l'individu et où l'individu a pour fin l'espèce, elle correspond aussi à l'union dialogique des deux antagonistes radicaux : vie et mort.

Il y a un formidable vouloir-vivre et une formidable intelligence de la vie dans ses duels permanents avec la mort, pour trouver inlassablement la nourriture et produire de nouveaux individus par la reproduction. La lutte contre une mort toujours présente a comporté un gaspillage inouï mais nécessaire de germes, de spores, de spermes, d'œufs afin d'assurer la survie d'au moins quelques-uns.

La lutte contre la mort est aussi mortifère : c'est tuer d'autres vivants, végétaux et animaux afin de s'en nourrir. La vie est comme le catoblépas, animal fabuleux qui se nourrit en se dévorant lui-même.

Certains croient que seul l'individu est concret, que l'espèce n'est qu'une abstraction. Or l'espèce qui n'existe et ne se reproduit qu'à travers les individus est une entité concrète qui poursuit la perpétuation de sa vie à travers la vie et l'action reproductrice des individus, en dépit de (à cause de) la mort des individus. D'autres croient que l'espèce est la seule réalité dont l'individu est serviteur. Mais seul l'individu existe *hic et nunc*. Il est *Dasein*. L'individu n'est rien sans l'espèce, et l'espèce n'est rien sans les individus.

L'espèce produit des individus, et les individus, en se reproduisant, produisent l'espèce. Finalité rotative où l'individu et l'espèce sont à la fois fin et moyen l'un de l'autre.

L'individu singulier, autonome, momentané est aussi, tout en étant différent, le même que ses ascendants : la même individualité se prolonge dans le temps à travers la succession des différents individus.

Chaque individu vivant semble disposer d'un quasi double logiciel ; le premier, est celui de l'auto-affirmation égocentrique, qui, comme l'indique le mot, le situe au centre de son monde. Cet égocentrisme est vital pour se nourrir, se défendre, se protéger. L'autre le met au service de sa descendance et, pour un grand nombre d'animaux, l'intègre dans le nous d'une société ou d'un couple géniteur.

Les vivants sont non seulement animés, mais aussi possédés par la vie et, de ce point de vue, sont quasi somnambules. Nous sommes habités et possédés par la machine que nous habitons et possédons.

Il y a comme un génie inconnu dans la machine. Il est admirable que l'organisation vivante fonctionne de façon inaccessible à nos sens (sauf malaise ou douleur), inaccessible à notre conscience. Une fois mastiqués, les aliments disparaissent à notre conscience et une complexe machine digestive se met en marche. Les sucs gastriques sont sécrétés, l'estomac digère et transmet son travail aux intestins. Foie, vésicule biliaire, rate, reins remplissent alors leur office, et notre conscience ne reparaît que stimulée par l'envie d'uriner ou de déféquer. Nous n'avons pas faim, c'est la faim qui nous saisit ; quand nous nous éveillons, c'est l'éveil qui nous saisit. Et notre organisme-machine a son savoir et sa sagesse. Les animaux ne connaissent-ils pas d'instinct plantes guérisseuses et plantes vénéneuses ?

L'intelligence et la sensibilité vivantes

Les êtres vivants, végétaux inclus, développent, chacun à leur manière, les aptitudes cognitives de la vie.

Nous avons très longtemps ignoré l'intelligence et la sensibilité des vivants, y compris celles de nos frères mammifères. Pour mieux surévaluer l'humain, on a répudié en lui donnant le nom d'anthropomorphisme tout ce qui reconnaissait souffrance et plaisir chez les animaux, alors que nous avons en fait hérité et surdéveloppé la souffrance et le plaisir propres à la vie animale, et surtout mammifère.

Animal = doté d'âme (*anima*) et d'esprit (*animus*) : Bateson avait souligné ce dernier point. (L'âme, dois-je le répéter, est non substance mais émergence sensible et sensitive de l'activité cérébrale.) Quiconque vit avec chiens ou chats sait que ces animaux ont une personnalité, une sensibilité, une âme.

Nous avons reconnu, très récemment, intelligence, stratégie et sensibilité ainsi que capacités de communications entre membres d'une même espèce, non seulement chez nos cousins primates et nos parents mammifères, mais aussi chez les végétaux.

Tout ce qui est activité vivante, de l'unicellulaire au polycellulaire, végétal ou animal, comporte une dimension cognitive : ainsi la création, très tôt dans l'histoire végétale, de la capacité de capter et d'utiliser l'énergie solaire suppose une appréhension cognitive des vertus énergétiques du rayonnement solaire et des vertus captatrices/assimilatrices de la chlorophylle. Et, pourtant, les plantes n'ont ni cerveau ni réseaux nerveux. La sensibilité et l'intelligence y sont indistinctes dans les interactions permanentes de l'ensemble des cellules du végétal.

Ainsi, l'ensemble des cellules de la plante induit des stratégies, des tactiques (pour trouver le soleil, pour empêcher d'autres plantes de pousser à proximité, pour se protéger). Les plantes d'une même espèce savent se transmettre une information défensive contre des parasites. Un exemple : en cas d'agression par un herbivore, l'acacia augmente son taux de tanin qui rend toxiques ses feuilles pour les antilopes, et prévient à distance les acacias de son environnement.

Communications chimiques par phéromones, par sons, par chants, par danses (abeilles). Il est très possible, comme l'a perçu la cantatrice Isabelle Sabrié pour les grenouilles, dans son jardin de Manaus en Amazonie, qu'oiseaux, chiens, et autres animaux disposent, alors que nous n'entendons que sons répétitifs et inarticulés, de vocabulaire et de syntaxe liés à un langage gestuel.

Plus généralement, tous les vivants, y compris les bactéries, voire peut-être les virus, sont dotés de subjectivité, puisque être sujet[1] consiste à se situer/

---

1. Cf. *La Méthode*, 2, *op. cit.*, p. 155-200.

s'affirmer au centre de son monde (autrement dit, de façon égocentrique), ce qui l'anime à se nourrir, à se défendre, à lutter pour sa propre vie. Ce à quoi il faut ajouter qu'être sujet, c'est aussi l'aptitude de participer à un nous, un collectif, une communauté. Ce qui est déjà le cas des bactéries.

Les bactéries ont des aptitudes à la fois cognitives, communicatives et organisationnelles, elles s'informent mutuellement et s'entraident en se communiquant des brins d'ADN, et c'est peut-être une transmission d'ADN résistant aux antibiotiques qui permet à des bactéries de plus en plus nombreuses d'éviter le péril mortel du bactéricide. Non seulement les bactéries communiquent, mais elles coopèrent et s'organisent entre elles[1].

L'hypothèse d'un être collectif bactérien régnant sur terre, sous terre, sur mer, dans nos intestins a suscité l'idée que toute la vie polycellulaire, y compris la nôtre, serait contrôlée par cet être bactérien collectif[2].

De plus, la capacité des virus à muter, notamment ceux de la grippe et du sida, trompant ainsi les défenses des organismes, n'est pas le produit du

---

1. Cf. les expérimentations confirmatrices de Bonnie Bassler, université de Princeton.
2. Cf. Lynn Margulis et Dorion Sagan, *L'Univers bactériel*, Albin Michel, 1989.

seul hasard, il est aussi celui d'une force réorgani-
satrice, éventuellement collective, dans l'hypothèse
où il y aurait une société planétaire virale, entité
douée d'intelligence, comme il y aurait une société
planétaire de bactéries.

En même temps, la vie a inventé dans les sociétés
des solidarités au sein des espèces, notamment dans
les sociétés animales, des convivialités profitables
aux uns et aux autres comme entre les bactéries et
nos intestins, des parasitismes multiples, ainsi que
des écosystèmes, réseaux cognitifs/organisateurs,
constitués d'inter-rétroactions complémentaires,
concurrentes et antagonistes, culminant dans la
macro-organisation de la biosphère[1].

Conclusion

La vie est marginale et déviante au sein du monde
physique. Il y a un énorme saut de complexité entre
l'organisation moléculaire et l'auto-éco-organisation
vivante. Au regard complexe, l'ensemble des qualités émergentes constitue la réalité de la vie.

La vie est intelligente, ingénieuse, créatrice,
merveilleuse, pleine de sens et, en même temps,

---

1. Cf. *Méthode*, 2, *La Vie de la vie*, *op. cit.*, p. 19-77.

incompréhensible, absurde, insensée, horrible. L'organisation des vivants est un chef-d'œuvre de complexité, mais la vie est pure folie.

On voudrait absolument trouver un sens à la vie, mais, s'il y a un sens, ce n'est pas au sens où nous entendons le mot sens. Il est tapi au sein de l'insensé.

Le seul sens de la vie est dans sa finalité : vivre pour vivre, finalité dont on ne peut trouver le sens.

CHAPITRE 5

La créativité vivante

L'œil aurait dû logiquement préexister
en tant que tout pour l'élaboration
des parties qui le constituent.

*La force créatrice échappe à toute
dénomination. Elle reste en dernière analyse
un mystère indicible.*
Paul Klee

La créativité de l'univers physique est systémique : les systèmes, issus de l'association organisatrice de constituants divers, créent des émergences,
qualités nouvelles, inconnues des éléments isolés.
La vie est issue d'une telle créativité systémique, à
partir de l'association organisatrice de constituants
moléculaires innombrables et divers, et ses qualités
propres, dont l'auto-organisation elle-même, sont
issues de la créativité systémique. Mais, une fois

née, l'auto-organisation vivante dispose d'une nouvelle créativité, capable de créer des organes et de transformer des organismes : la créativité vivante.

La vie est créatrice de créativité

Il y a une dialogique propre à l'auto-organisation vivante : une logique assure l'invariance de l'espèce comme de l'individu, l'autre permet les réorganisations génétiques créatrices, au cœur du dispositif de reproduction, d'où sont issues les innombrables innovations de l'évolution : cellules eucaryotes, polycellulaires, assimilation chlorophyllienne chez les plantes, qui leur permet de capter l'énergie solaire, explosion florale, et, chez les animaux, nageoires, pattes, ailes, cerveau, système nerveux, foie, reins, etc.

Apparemment, à partir de la reproduction, qui perpétue à l'identique et s'oppose à toute modification, la loi de la vie devrait exclure toute invention créative. Or, notons que si par rapport à la reproduction à l'identique, phénomène normal, la création innovatrice est un phénomène déviant, marginal, rare, celle-ci est devenue le moteur décisif de la buissonnante et luxuriante évolution biologique, c'est-à-dire de l'histoire même de la vie.

La créativité se manifeste au cours de la reproduction, c'est-à-dire de la re-création d'un nouveau vivant ; elle peut être stimulée par un aléa, par l'intégration d'un virus dans l'ADN qui apporte une information innovante, elle peut surtout être stimulée par des défis issus de l'environnement. Dès que sont créés une qualité nouvelle, un organe nouveau, ceux-ci vont se propager justement par reproduction qui, « normalement » prohibitrice du nouveau, se met au service du nouveau, le multiplie, d'où les myriades d'espèces végétales et animales.

Il existe dans la nature, non seulement animale mais végétale, des formes prodigieuses de connaissances liées à une forme de créativité, telle l'invention de ces fleurs qui « savent » comment attirer les insectes butineurs, mais c'est aussi vrai pour les insectes, comme pour les oiseaux et bien d'autres espèces. Les cas remarquables de connaissance/créativité végétales sans cerveau ni système nerveux nous révèlent que le lien cognition/création (où la cognition permet une création qui apporte une nouvelle cognition) est inhérent à l'auto-éco-organisation vivante, bien qu'il ne s'active que dans des situations extrêmes, presque toujours, semble-t-il, pour répondre à un défi mortel ou à une aspiration profonde.

La créativité s'effectue par associations et combinaisons. L'union intime de deux unicellulaires ou plutôt l'absorption de l'un par l'autre, va créer la cellule eucaryote, avec double hérédité, la seconde étant dans la mitochondrie, vestige de cellule absorbée. Des unicellulaires vont s'unir durablement en polycellulaires, lesquels vont diversifier leurs cellules. Le hasard, ou les contraintes d'un milieu, a dû jouer un rôle dans la formation des polycellulaires, groupement collectif mieux armé contre les aléas. La créativité est manifeste dans l'invention d'un organe ou d'une réorganisation novatrice avec émergences propres. Les fabuleux développements buissonnants du règne végétal et du règne animal nous montrent ce que Bergson avait appelé « évolution créatrice » et que l'on pourrait aussi nommer « créativité évolutive ».

Depuis les premiers unicellulaires, la vie a engendré une prolifération de millions d'espèces dont 8,7 millions d'espèces vivantes subsistent, parmi lesquelles 2,2 millions en milieu aquatique.

Elle a inventé les figures les plus incroyables, tortues, escargots, poulpes, scorpions, les couleurs les plus chatoyantes, les tailles les plus extrêmes, des bactéries à l'éléphant en passant par les pucerons, du brin d'herbe au séquoia, les dispositifs les plus ingénieux, ainsi la toile tissée de l'araignée, les armes les plus imaginatives, ainsi le venin du serpent ou du frelon à la corne du rhinocéros.

À travers les naissances, y compris celles de cellules dans un organisme vivant, la vie est un permanent recommencement. Un recommencement du même (le retour est le mouvement de la vie : Tao), une reproduction à l'identique, qui, à certains moments décisifs, d'origine extérieure ou/ et intérieure, se modifie ou se transforme. L'union dialogique d'un principe d'invariance et d'un principe de transformation est un caractère essentiel de la vie.

Le défi

La créativité vivante a souvent été une réponse à un défi mortel. Et elle s'est manifestée par une aptitude à résoudre un problème vital.

La première grande invention du vivant s'est faite sans cerveau ni système nerveux. C'est l'invention de la pnotosynthèse par la chlorophylle, déjà présente chez certains unicellulaires (diatomée, microalgue), qui s'est généralisée à l'immense règne végétal ; cette merveilleuse invention permet à la plante de puiser son énergie dans la lumière solaire.

Par ailleurs, les racines ont été créées pour absorber des sucs minéraux.

La créativité s'est manifestée dans un art des métamorphoses : de la graine à la plante, de l'œuf à l'animal adulte, de l'embryon mammifère dans son placenta à l'adulte, et, enfin, de la chenille rampante au papillon et à la libellule.

Cette créativité a atteint une complexité et une ingéniosité que n'a pas atteint (encore ?) le génie humain : celui-ci, qui a tant inventé, n'a pu encore réussir à fabriquer une bactérie, ni la moindre plante, ni le moindre animal.

Comme le règne animal n'a pas été capable de capter l'énergie solaire, il a dû inventer les moyens de locomotion pour chercher sa nourriture et fuir ses prédateurs : nageoires, pattes, ailes. Il a dû inventer une mâchoire ou un bec pour happer les aliments, allonger le bec chez la cigogne ou le toucan, allonger le cou de la girafe ou la trompe de l'éléphant ; il a inventé un extraordinaire système digestif pour les assimiler et en rejeter les déchets. Il a inventé les organes des sens, vue, ouïe, olfaction, système nerveux, cerveau. Il a inventé des formes, couleurs, odeurs pour se faire beau, effrayer les ennemis, attirer son congénère du sexe opposé.

La diffusion de l'oxygène des plantes dans l'atmosphère fut un poison transformé dans le monde animal en détoxifiant cellulaire, à travers la respiration et la circulation du sang. L'abaissement du niveau marin suscita l'amphibie chez des poissons qui transformèrent leurs branchies en poumons.

Cataclysmes et catastrophes ont pu stimuler la créativité vivante. Ainsi, les cataclysmes de la fin de l'ère primaire qui auraient détruit 90 % des espèces ont suscité la création de nouvelles espèces.

La créativité n'est pas seulement réponse à un défi ou un problème. Elle peut être aussi la satisfaction d'une aspiration. Est-ce que ce qui a tant de fois fait émerger des ailes chez des êtres terre à terre pourrait venir d'une aspiration à expérimenter la légèreté et l'ivresse du vol ?

Certes, on peut penser que le vol permet au prédateur de mieux trouver sa proie terrestre et à la proie de mieux fuir son prédateur terrestre ; mais il me semble qu'à la différence des pattes et des nageoires les ailes ne répondent pas à une nécessité locomotrice première pour vivre ou survivre. Il me semble donc que l'aspiration à voler a produit les ailes d'innombrables insectes, a suscité des ailes chez une branche de reptiles devenus oiseaux, a même fait pousser des ailes aux mammifères que sont les chauves-souris. Nous pouvons sans cesse contempler l'étonnante métamorphose qui transforme une chenille rampante en une aérienne libellule ou en un chatoyant papillon.

Un désir obscur, inconscient, mais profond venant de tout l'être ne serait-il pas à la source de tant de créations ?

Le luxe de tant de parures et couleurs, depuis le petit scarabée jusqu'au paon, ne saurait être réduit à la seule séduction sexuelle du congénère et, de toute façon, celle-ci comporterait une composante esthétique. Adolf Portmann propose le concept de *Selbstdarstellung*[1], « autoprésentation », tendance inhérente au vivant à s'autoprésenter, pas seulement comme congénère ou ennemi, mais pour lui-même, ce qui correspond à l'envie de se faire beau chez l'humain.

En fait, nous, humains, prolongeons l'esthétique animale avec nos tatouages, parures de couleurs,

---

1. Adolf Portmann, *La Forme animale* (1948), rééd. La Bibliothèque, 2013.
L'autoprésentation (*Selbstdarstellung*) exprime l'idée que le vivant éprouve la nécessité de se présenter. Se présenter à ses congénères et au monde qui l'accueille et avec lequel il interagit. La forme animale exprime un besoin vital de s'exhiber, de se manifester : « L'autoprésentation est donc une sorte d'exigence qui incombe à toute vie : apparaître, ne montrer que ce qu'on est. L'être pur et simple (la simple existence positive) ne suffit pas : il faut en outre "apparaître", c'est-à-dire donner forme, dans le champ du visible (mais il peut s'agir aussi de manifestations acoustiques ou olfactives), à la singularité de ce que l'on est – non pas, en l'occurrence, de son existence individuelle, mais de sa singularité en tant qu'espèce, de sa particularité spécifique. »

en nous dotant, par nos vêtements, d'une variété de peaux amovibles.

Il est peu plausible de réduire tant d'inventions créatrices à de simples mutations génétiques dues au hasard, encore que le hasard puisse y intervenir. Les chercheurs en biologie moléculaire, généticiens, darwiniens attribuent toutes les inventions de la vie à des mutations dues au seul hasard et se bornent à ne voir que de l'adaptation dans ce qui fut plus que de l'adaptation : de l'invention. L'invention peut être créatrice d'adaptation à un milieu, elle peut aussi créer l'adaptation d'un milieu à soi (comme dans la formation des nids d'oiseaux ou comme dans l'architecture des castors, construisant huttes et barrages). Nombreux sont les scientifiques à craindre que la créativité vivante renvoie au seul créationnisme, c'est-à-dire au dessein d'un Dieu créateur, alors que la créativité se trouve, comme le pensait Spinoza, au cœur même de la nature vivante.

Il y a, je crois, une potentialité créatrice dormante à l'intérieur du vivant qui s'éveille à un défi, un désir, une aspiration. La créativité inventive opère dans la phase embryonnaire du développement, là où le travail de l'espèce devient formation de l'individu[1].

---

1. Étant donné qu'il y a manifestement une créativité de la vie, cela ne peut exclure d'autres créativités ailleurs, mais nul ne peut l'assurer aujourd'hui.

Je ne saurais terminer ce passage sur la créativité en oubliant mon propre corps, c'est-à-dire celui de tout *Homo sapiens/demens*. Cet organisme est le fruit d'une évolution créatrice depuis les vertébrés, puis les mammifères, enfin les primates, jusqu'à notre espèce.

C'est une incroyable machine qui, comme je l'ai dit, me possède plus que je ne la possède. Pourtant quelle ingéniosité, quelle complexité, ne serait-ce que dans la digestion où, sans le vouloir, je sécrète de la salive autour de l'aliment que mes dents broient, puis le bol alimentaire est imbibé de sucs gastriques et va faire un prodigieux voyage qui finira dans le gros intestin. Quelle complexité dans la production des hormones par le cerveau ! Quelle machine hyper-complexe que ce cerveau et dont on ne connaît que les manifestations électrochimiques alors qu'elle produit des sentiments et de la pensée ! Les machines les plus sophistiquées que nous fabriquons sont encore gros-sières et rudimentaires à côté de cette machine qui nous a fabriqués et nous refabrique à chaque instant.

La vie généralisée

La biologie moléculaire élimine la notion de vie, alors qu'à mon sens il faut la généraliser au-delà des êtres strictement biologiques : unicellulaires, végétaux, animaux. La planète Terre est une entité géo-bio-physique dotée d'une vie propre. Elle est peut-être douée d'intelligence... Les « soucoupes volantes » seraient peut-être alors non pas des voyageuses de l'espace, mais des émanations de la Terre.

Les écosystèmes sont des auto-organisations vivantes à partir de la conjugaison des vivants d'un milieu donné et des déterminants géoclimatiques de ce milieu.

Les sociétés humaines sont des êtres vivants[1] dotés d'auto-éco-organisation. Ce sont à la fois des machines physiques, des machines vivantes, des machines sociales.

Le langage existe comme première nécessité de communication dans toute société humaine ; en même temps il dispose de certains caractères de la vie : évolution, métamorphoses ; des mots meurent, naissent, dérivent, des tournures changent. Le langage tend à se ramifier en deux branches, la branche prosaïque à fonction utilitaire et la branche poétique, créatrice, qui procure l'émotion esthétique. L'argot est une sous-branche poétique très vivante dans son inventivité. La branche prosaïque tend à se dévitaliser, devenant « langue de bois » surtout dans le langage administratif, technocratique et économique.

---

1. Cf. *La Vie de la vie, op. cit.*, p. 236 *sqq.*

La façon dont les langues se sont formées, se sont organisées, ont évolué est la preuve d'une puissance créatrice formidable, nourrie à la source des innombrables esprits locuteurs.

Enfin, les esprits humains d'une société produisent et nourrissent des entités dotées de vie qui prennent pouvoir sur les esprits qui les ont créées : les dieux et les idées. Les dieux sont anthropomorphes ou biomorphes, leur pouvoir est tel qu'ils exigent des humains adoration, obéissance, sacrifice, y compris de leur vie, et meurtre des impies ou infidèles. Les idées[1] peuvent être également souveraines et despotiques : ainsi, le communisme fut une impérieuse religion de salut terrestre.

Ce sont nos esprits et nos activités qui produisent et nourrissent toutes ces vies qui nous nourrissent et qui, parfois, comme les dieux et les idées, nous asservissent.

Conclusion

Les branches les plus fécondes en découvertes sur l'organisation vivante, la biologie moléculaire et la

---

1. Cf. *La Méthode*, 4, *Les Idées*.

génétique ont occulté l'idée même de vie, devenue invisible à ceux qui ne voient que molécules, gènes, programmes, mutations de hasard, sélection naturelle qui permettent d'escamoter la créativité, par crainte de l'illusion créationniste.

La vie a été banalisée et trivialisée.

Toutefois, à partir des années 1960, l'éthologie animale a permis de reconnaître la complexité des comportements et interrelations entre mammifères, oiseaux, poissons, sans parler des travaux sur les abeilles, les fourmis et les termites. Une nouvelle botanique a révélé que la complexité de l'évolution végétale n'était pas moindre que celle du monde animal et je salue à cette occasion la mémoire de Jean-Marie Pelt. Elle a commencé à découvrir l'intelligence et la sensibilité des plantes dont nous avons fait état.

Il nous faut détrivialiser la vie et s'en étonner. La vie surprend par sa complexité, son autonomie, sa créativité si soudainement et si marginalement apparue dans l'univers physique.

Dans cet univers sans finalité apparente, n'obéissant qu'à la dialogique ordre/désordre/organisation, la vie a introduit sa double finalité en boucle : se reproduire pour faire des individus vivants, faire des individus vivants pour se reproduire.

Si on ne peut concevoir une grande finalité propre à une évolution aussi diverse et buissonnante, on doit remarquer des myriades de finalités à la fois divergentes et convergentes (en écosystèmes et biosphères), complémentaires et antagonistes. Une fois encore on retrouve la pensée héraclitéenne sur l'union de la concorde et de la discorde.

Nous connaissons de mieux en mieux la vie mais elle nous demeure de plus en plus mystérieuse.

La vie est émergence, c'est-à-dire un ensemble de qualités.

La vie ne se réduit pas au biologique, c'est-à-dire aux entités nucléo-protéinées dont nous sommes constitués.

La vie est polymorphe, car les sociétés, les langues, les cultures les idées, les dieux sont des entités vivantes.

La vie est cacophonie et symphonie.

La vie est intelligente, sensible, créatrice.

La vie est organisatrice. La vie est cruelle. La vie est admirable. La vie est folle.

Nous oublions dans l'évidence quotidienne du vivre le caractère étonnant de la vie. Nous oublions dans les activités prosaïques du vivre que la vie est poésie, mais nous oublions dans nos moments euphoriques qu'elle est cruelle, terrible, horrible.

Nous savons qu'il est un malheur de vivre et qu'il est un bonheur de vivre, mais chacun de ces termes occulte l'autre.

Seule une pleine conscience, une grande sensibilité nous permettent de savoir que la vie est merveilleuse et horrible.

CHAPITRE 6

L'humain inconnu à lui-même[1]

Qui sommes-nous, que sommes-nous ?

J'aurais pu reprendre le titre du livre vieux de soixante-quinze ans d'Alexis Carrel, *L'Homme, cet inconnu*, encore que ce qui est connu aujourd'hui lui fut alors inconnu. Mais ce qui est connu aujourd'hui demeure inconnu bien que connaissable parce que nos écoles, lycées, universités ne nous enseignent pas ce qu'est l'humain. Pourtant, un immense savoir s'est accumulé depuis cinquante années sur l'humain, ses origines, sa nature, ses complexités, mais il est dispersé, morcelé et compartimenté entre toutes les sciences et l'incapacité ou l'impuissance

---

1. Le plus gros de mon œuvre est consacré à l'humain, depuis *L'Homme et la Mort* jusqu'à *L'Humanité de l'humanité*, tome 5 de *La Méthode*, en passant par *Le Paradigme perdu : la nature humaine*, et *Terre-Patrie*. Aussi ce chapitre ne traite-t-il de l'humain que du point de vue des interrogations sur les inconnues que nous ont apportées nos connaissances.

à réunir ce savoir entretient une immense ignorance sur notre identité même.

Ainsi, aucun programme éducatif ne nous informe que la plus belle et fabuleuse conquête des sciences fut de nous révéler que nous sommes non seulement enfants de la planète Terre mais enfants du cosmos portant en nous toute l'histoire de l'univers depuis les premières particules et toute l'histoire de la vie depuis le(les) premier(s) être(s) cellulaire(s). À l'image de l'histoire du cosmos et de celle de la vie, l'histoire humaine comporte des créations : de sociétés, d'États, de civilisation, de religions (bouddhisme, christianisme, islam), de croyances (socialisme), d'extinctions (empires et civilisations) et surtout, à l'image de la vie, des mutations et métamorphoses (des clans archaïques de chasseurs-cueilleurs aux sociétés historiques, de l'Europe médiévale à l'Europe moderne, de la mondialisation actuelle à l'éventuelle post-humanité).

Homo, dit *sapiens*, est issu d'une triple métamorphose : la juvénilisation de l'individu qui lui fait conserver adulte des traits infantiles à la fois physiologiques et psychologiques, la formation du gros cerveau, le développement de l'usage de la main par l'opposition du pouce aux autres doigts, la complémentarité active entre ces trois transformations[1].

---

1. On ne peut liquider l'hypothèse d'une aspiration et d'une recherche dans l'évolution primatique qui a fait surgir le bipédisme,

Nous sommes des êtres trinitaires, à la fois individu, moment/élément d'une espèce biologique, moment/élément d'une société, et ces trois notions sont non seulement inséparables, mais récursivement productrices les unes des autres[1].

Nous sommes des « je » absolus et relatifs : chacun est tout pour lui-même, mais rien pour le tout : société, espèce, vie, univers. Nous ne sommes « au monde que par une infinité de hasards » (Pascal) ainsi que par d'innombrables déterminismes.

Chaque individu est singulier dans son physique, sa physiologie, ses gènes, son caractère. Sa subjectivité est irréductiblement personnelle ; il est autonome, séparé du monde extérieur, protégé par sa peau et son dispositif immunologique, et pourtant, en même temps, il est un moment fugitif, une infime partie de l'espèce humaine, une infime partie de la société, qui l'une et l'autre sont à l'intérieur de lui, l'une par ses gènes, l'autre par sa culture. Il est égocentrique et, à l'inverse, peut s'oublier dans un nous (amour, famille, parti, patrie) ; il est pos-

---

le manualisme et le gros cerveau à travers un processus de quatre millions d'années où sont apparues et ont disparu tant d'espèces depuis Toumaï, et où a finalement seul survécu et s'est développé *Homo sapiens/demens*. On peut penser maintenant que le défi de la savane, s'il a joué un rôle dans l'hominisation, n'a pas été le stimulant majeur de la créativité hominisante.

1. *La Méthode*, 5, *L'Humanité de l'humanité*, *op. cit.*, p. 21-74.

sédé par les gènes qu'il possède, la machinerie de son organisme lui est totalement inconsciente, sauf quand une douleur l'avertit d'une avarie. Tout en étant quasi somnambule il est semi-éveillé au niveau de sa conscience[1].

Toute organisation vivante connaît la mort, s'en défend, la combat, et cela dès les premiers unicellulaires. Mais l'individu humain porte dans sa conscience dès son adolescence, et tout au long de sa vie, la douloureuse et tourmentée présence de la mort pour lui et ses proches. La mort parasite son esprit par d'énormes obsessions et il s'en défend mythologiquement depuis la préhistoire en projetant une vie après la mort, puis en suscitant les religions de salut qui lui donnent immortalité.

La conscience nous sert à prendre conscience de l'inconscient en nous. Elle nous permet de nous interroger. Sommes-nous des jouets ? De quoi, de qui ? Kundera va jusqu'à dire qu'il se fait une expérimentation cosmique sur l'espèce humaine (*Le Rideau*).

Effectivement, tout se passe comme si en nous se poursuivait une gigantesque expérimentation dont les fins nous sont inconnues : scientifique, sadique, jeu, compétition, bataille ? Ou bien serions-nous quelque concrétisation du rêve d'un être cosmique ?

---

1. Sur la conscience, voir chapitre 7, « Le cerveau et l'esprit ».

De l'ignorance à la pleine conscience

Nous vivons à la surface de nous-mêmes. Nous sommes possédés par des forces obscures, nos *Daimon* intérieurs et extérieurs à nous. Nous sommes possédés par les mythes, les dieux, les idées. Nous sommes des manipulants manipulés, nous sommes possédés par ce que nous possédons, vivre est comme une ivresse et comme un somnambulisme.

L'ensemble de notre organisme, constitué de milliards de cellules, d'innombrables et complexes organes, de tissus très divers, dispose d'une intelligence, peut-être d'une pensée, dont nous sommes totalement inconscients. Un savoir profond et complexe est en nous, il construit, répare, régénère ; il reproduit, anime notre être biologique, et nous l'ignorons.

La formidable machinerie du corps s'active en dehors de notre conscience : le sang irrigue toutes les cellules, foie, rate, cœur fonctionnent d'eux-mêmes ; c'est la machine qui donne les instructions qui arrivent à notre conscience : faim, soif, envie d'uriner, etc.

Répétons les mots d'Héraclite : « Éveillés nous dormons. »

Nous sommes machines, mais machines non triviales[1].

---

1. La machine triviale est une machine déterministe dont tous les comportements sont prédictibles.

Machines non triviales : car l'imprévu, l'inattendu, la folie, l'invention peuvent sortir de nous.

Bouddha, Jésus, Paul de Tarse, le Prophète Mahomet, Jeanne d'Arc, Bonaparte, Marx sont des machines non triviales.

Les domestications du feu, de la vapeur, de l'électricité, de l'atome ont été effectuées par des machines non triviales.

Le coup de feu d'un fanatique serbe sur l'archiduc d'Autriche à Sarajevo, en 1914, a déclenché une guerre mondiale qui fit des millions de morts.

Une rencontre de hasard peut déclencher un coup de foudre d'amour.

Tout ce qui est déterminé en nous est en même temps autonome.

La multipersonnalité, qui est évidente chez les bipolaires ou maniaco-dépressifs, est présente sous des formes naissantes ou provisoires dans les états divers, colère, amour, jouissance, où nous sommes à chaque fois le même je et une autre personne. Nos fluctuations internes font cristalliser pour un temps des personnalités différentes.

Nous vivons à la surface de notre mémoire, sans savoir que nous sommes reliés à nos ancêtres, aux espèces animales, à la planète, au système solaire, au cosmos tout entier, sans voir que notre intelligence superficielle est travaillée par l'intelligence profonde de cette hérédité et de cet héritage.

Cette mémoire ne semble pas seulement inscrite dans nos gènes. Il y a une autre mémoire (détectée par la psychologie générationnelle) qui souvent nous fait revivre des événements vécus par des ascendants. Nous sommes habités, possédés par les parents. Parfois, le caractère enjoué de mon père est en moi, parfois, c'est le caractère mélancolique de ma mère. Plus encore : d'innombrables ascendants sont en nous. Tout se passe comme si, dans une assemblée d'ascendants potentiellement présents en nous, tantôt l'un, tantôt l'autre, venait nous habiter.

Nous sommes possédés par l'espèce présente sous forme d'ADN dans chacune de nos milliards de cellules – de l'ensemble de notre organisme, dans nos innombrables et complexes organes, dans nos tissus très divers. Nous sommes également inconscients que notre machine est mammifère, vertébrée, et porte en elle l'histoire de la vie. La machine dispose d'une intelligence, d'une sagesse (le biologiste Walter Cannon a écrit *The Wisdom of the Body*) et d'un type de logique dont nous sommes totalement inconscients.

La naissance est à la fois fin d'une aventure embryonnaire qui, à partir d'un œuf, cellule initiale mais porteuse d'un immense héritage, recommence en un accéléré de neuf mois, d'une façon hologrammatique et singulière, les deux milliards d'années d'histoire de la vie. La fin de vie utérine est le début d'une nouvelle aventure avec la naissance, l'enfance, le développement, le vieillissement, la mort, à la fois commune et répétitive, mais aussi inédite et inconnue dans ses modalités singulières.

Et pourquoi y a-t-il occultation non seulement de la période fœtale au sein d'eaux mères mais aussi de la naissance, qui est un traumatisme d'une extrême violence ? Pourquoi notre conscience a-t-elle perdu le souvenir de notre première vie intra-utérine et de l'événement majeur de notre vie ?

Nous sommes possédés par le double logiciel de notre subjectivité : le logiciel de l'affirmation égocentrique du moi-je qui nous installe au centre de notre monde et le logiciel du nous qui nous unit et englobe au sein d'une communauté. Le premier exclut tout autre que soi, le second l'inclut parmi les autres dans un nous.

Le double logiciel (égocentrique, communautaire) explique la double vérité : l'égocentrisme et la solitude absolue de chacun, l'altruisme et la non-solitude de la communion ou de la communauté. Il explique que l'humain puisse être profondément bon ou mauvais selon les aléas et les événements.

Il nous fait comprendre l'aspiration essentielle de l'humanité sans doute dès sa naissance et à travers toute l'histoire : l'aspiration à l'épanouissement

personnel au sein d'une communauté solidaire. [1]
Toutes les grandes révoltes, toutes les révolutions
naissantes sont nées de cette aspiration. C'est cette
aspiration qu'expriment les idéologies d'émancipa-
tion ; mais celles-ci, une fois maîtresses du pouvoir,
ont souvent camouflé les meilleurs instruments
d'oppression.

Il faut sans cesse rappeler que l'humain dans son
individualité, sa société, son histoire est polarisé
entre raison et délire, entre technique et mythe, entre
l'intérêt personnel et le jeu désintéressé. Ce sont
des forces internes (*Daimon*) antagonistes, sources
du meilleur et du pire dans notre passé, notre présent, notre futur. La difficulté est de dialectiser sans
cesse raison et passion pour éviter les deux délires,
celui de la raison glacée et celui de la folie, de ne
pas se laisser contrôler par la technique, mais de
la contrôler, de dialoguer avec ses mythes sans se
laisser dominer par eux, de lier le *je* à un *nous*.

Néanmoins, le pire s'est souvent imposé.
L'histoire est menée par des forces démentielles,
tout en charriant, comme la vie, des blocs de rationalité. Les illusions et aveuglements ont souvent
conduit le destin des peuples. La volonté de puissance a mené aux massacres et aux désastres. Le
totalitarisme a anéanti tout ce qui ne lui obéissait pas
jusqu'à perpétrer son propre anéantissement.

L'histoire est révélatrice de l'humanité. Kundera dit justement : « L'Histoire est comme un projecteur qui tourne autour de l'existence humaine et jette une lumière sur elle sur ses possibilités inattendues qui, [...] quand l'Histoire est immobile, ne se réalisent pas, restent invisibles et inconnues. »

Comme la vie, l'histoire ne s'avance pas de façon frontale, mais se transforme à partir d'une déviance qui, si elle se fortifie et se développe, devient une tendance, laquelle va supplanter le courant dominant. Ainsi les déviants Çakyamuni, Jésus, Paul, Mahomet, Luther, Copernic, Colomb, Fulton, Marx, Lénine, Hitler ont-ils détourné le sens de l'histoire.

Une religion naît dans des conditions historiques particulières mais, une fois constituée et instituée, elle peut se répandre de façon conquérante (souvent imposée) n'importe où et sur n'importe qui (ainsi l'imposition du christianisme en Amérique du Sud, la propagation de l'islam en Afrique).

Il n'est pas de civilisation qui n'ait un fond de barbarie. La barbarie étant un ingrédient de la civilisation, on ne peut que lui résister, non la supprimer.

Les êtres révèlent soit le meilleur, soit le pire d'eux-mêmes en période de crise, de conflit, de désastre.

Le gaspillage de germes, semences, sperme se comprend pour lutter contre les forces de mort, destruction et prédation coalisées. Mais, pour l'humanité, quel gâchis pour tant de virtualités humaines jamais actualisées, tant d'espoirs non réalisés, tant d'amours égarées, tant d'élans avortés, tant d'opportunités perdues, tant de petits Mozart assassinés, tant d'incompréhensions, tant de querelles et de haines imbéciles. Nous avons tous des désespoirs qui viennent du plus profond de l'âme. Nous vivons alternativement le vouloir-vivre et le mal de vivre. Nous faisons alterner nos vies entre pression et dépression, un mot banalisé, galvaudé et profond.

L'inconscience de la complexité anthropologique a conduit aux erreurs, aveuglements, illusions et y conduira encore, sauf réforme profonde de la connaissance, de la conscience et de la pensée humaines.

La conscience devrait être l'avenir de l'humain.

CHAPITRE 7

Le cerveau et l'esprit

En dépit des flashes et lueurs que détectent les appareils dont la vision traverse la boîte crânienne, le cerveau demeure moins connu que l'univers, moins connu que l'organisation vivante. Cet inconnu est non seulement à l'intérieur de nous, mais intérieur à notre connaissance, à notre parole, notre intelligence. Ce qu'on a découvert du cerveau est capital et en même temps renforce son mystère. C'est une machine qui fonctionne avec cent milliards de neurones (10 puissance 11) entreliés et enchevêtrés en cent mille milliards de connexions synaptiques, descriptibles en termes électriques et chimiques, enrobées dans des bains de cellules gliales. C'est un cosmos qui comporte, semble-t-il, plus d'éléments et de relations que le grand cosmos dont il fait minusculement partie. Il est unique parmi les vivants par son volume et sa complexité.

Le cerveau et l'esprit, qui sont l'un en l'autre, ont chacun un langage incompréhensible pour l'autre ; le langage du cerveau est électrochimique, le langage de l'esprit est celui des mots et des phrases.

La relation cerveau/esprit est inintelligible au premier abord. Cette relation est mutilée par les deux types d'explications dominants qui s'opposent. Le premier est réducteur : il nie la réalité de l'esprit qu'il dissout dans le cerveau. Le second est disjonctif : l'esprit est une réalité propre qui dispose du cerveau comme d'une antenne de télévision.

La relation esprit/cerveau doit être conçue, non par réduction de l'esprit au cerveau ou disjonction entre les deux, mais selon le principe d'émergence. Le cerveau est, sinon siège, du moins source de l'esprit. L'esprit émerge d'activités du cerveau et devient réalité psychique en s'appropriant le langage, le savoir et la culture d'une société. Il se manifeste et se décrit par mots, concepts, discours, théories. Devenu esprit par activité intellectuelle, il comporte une part de sensibilité que l'on appelle âme. L'esprit ne vit qu'en activité, l'âme n'existe qu'en sensibilité. L'âme et l'esprit sont en *yin* et *yang*, inséparables, complémentaires et présents l'un en l'autre. Ils sont évidemment dépendants d'activités cérébrales permanentes.

La conscience est une émergence des activités de l'esprit, de nature réflexive, aussi bien sur sa propre personne que sur tout objet de connaissance. La conscience est une connaissance au deuxième degré, qui se connaît elle-même en connaissant ce qu'elle connaît. Elle est de nature subjective car elle porte en elle le sentiment de la présence personnelle du sujet conscient, mais elle lui permet de se connaître et se penser comme objet de connaissance, c'est-à-dire de s'objectiver sans pour autant perdre son caractère subjectif. Elle permet la réflexion sur tout objet de connaissance et, par là, permet et favorise toute recherche non seulement d'objectivité, mais aussi et surtout de vérité. La conscience est l'ultime fruit de l'esprit humain, son ultime développement, sa qualité suprême. Mais elle est comme tout produit ultime, à la fois le plus précieux et le plus fragile, sujette à vaciller, à s'éteindre, et comme la connaissance dont elle est la forme accomplie, elle est soumise au risque d'erreur, le pire de tous, celui de la fausse conscience qui croit qu'elle est vraie conscience.

L'esprit conscient est une émergence qui prend réalité. Du coup, il peut rétroagir sur le cerveau et plus largement sur l'organisme. L'esprit a des pouvoirs sur le cerveau dont il dépend, en lui faisant sécréter des hormones d'agressivité, de défense, de sympathie, et il peut développer des pouvoirs sur l'organisme lui-même, comme en témoignent les yogis qui peuvent diminuer, voire arrêter, les battements de leur cœur. Il me semble plausible que des pouvoirs potentiels de l'esprit sur nous-mêmes demeurent largement ignorés. Peut-être dispose-t-il de capacités cognitives non encore éveillées et de pouvoirs dormants que nous connaîtrons et utiliserons un jour?

Le principe d'émergence n'explique pas, il constate. Il n'élimine pas le mystère. Mais il permet de comprendre à la fois la réalité active de l'esprit, son autonomie relative, la dépendance de cette autonomie à l'égard du cerveau, ainsi que la réalité de la conscience, son autonomie dépendante à l'égard de l'esprit.

Seul le plein emploi de l'esprit conscient peut nous faire prendre conscience du mystère de l'esprit.

L'esprit a été diversement prospecté par les psychologies, les psychanalyses, comme s'il était détaché du cerveau. Le cerveau a été plus récemment prospecté par les neuroscientistes en éliminant la notion d'esprit.

Paul McLean avait découvert que le cerveau humain contient en lui des aires successives (cerveau reptilien, cerveau mammifère, enfin cerveau proprement humain), mais il a fait l'erreur de rendre indépendantes ces trois instances alors qu'elles sont en constante interdépendance (comme l'a indiqué Jean-Didier Vincent) ; puis la neuroscience a détecté la dualité d'un cerveau gauche, qualifié abusivement de masculin, raisonnant de façon séquentielle et analytique, et d'un cerveau droit, dit féminin, considérant globalement et avec sensibilité les choses. En fait, un peu de dialogique montre la complémentarité des deux cerveaux, et c'est selon les cultures, les personnalités ou les moments qu'un des cerveaux a la prédominance sur l'autre.

Karl Pribram, dont l'œuvre reste négligée par les neuroscientistes, avait élaboré un modèle « holographique » du fonctionnement du cerveau. Dans un hologramme, l'ensemble des informations enregistrées sur chaque fragment d'un support photographique, par exemple sous forme de patterns d'interférence, permet de reconstituer l'ensemble de l'image à partir du fragment et donc d'en présenter une vue globale en trois dimensions. Ainsi, la partie n'est pas seulement dans le tout, mais le tout est présent dans la partie.

Par analogie, Pribram pense que la mémoire ne serait pas stockée dans les cellules à des endroits précis du cerveau, mais contenue dans les motifs d'interférences des ondes qui le parcourent. Le jet d'une pierre dans un étang y crée des cercles concentriques. La mémoire serait comme la reconstitution du jet de pierre à partir de la reconstitution des cercles concentriques en sens inverse.

Enfin, la neurobiologie a pu examiner *in vivo* les activités cérébrales à travers la boîte crânienne. Antonio Damasio et Jean-Didier Vincent ont montré que les émotions sont toujours présentes dans les activités rationnelles et les prises de décision. Les explorations des activités cérébrales continuent et dévoilent des fragments de leur hypercomplexité, mais cette hypercomplexité demeurera grandement inconnue de nos esprits/cerveaux en vertu du principe qu'un système n'a pas les moyens de se connaître totalement lui-même.

De plus, il nous faut impérativement savoir que nos processus de connaissance, depuis la perception jusqu'à l'idée et la théorie en passant par le langage, sont en eux-mêmes sources, conditions, de l'erreur et de l'illusion. C'est effectivement ce qui nous fait connaître qui nous trompe et nous leurre. Toute connaissance, à commencer par la perception visuelle ou auditive, est une traduction de stimuli lumineux ou sonores en un code binaire circulant dans le nerf optique ou auditif et reconstruit dans le cerveau. Aussi toute connaissance est soumise au risque permanent de l'erreur et de l'illusion. Nous sommes toujours condamnés à interpréter.

Par ailleurs, tout objet de connaissance est co-construit par l'esprit du sujet connaissant, et il est formé dans la perception d'une réalité qui comporte une part d'inconnaissable. Aussi, toute connaissance comporte un arrière-fond d'ignorance. Comme le dit Dany-Robert Dufour : « L'évidence et la certitude sont conformes à l'erreur et au mensonge[1]. »

En ignorant tout enseignement à la connaissance de la connaissance, c'est tout notre système éducatif qui contribue à la menace permanente, souvent mortelle et désormais accrue, de l'erreur et de l'illusion sur le destin humain.

Ainsi la machine de la connaissance est aussi à la fois une machine en large part inconnue, qui n'arrache que des parcelles à l'inconnu, mais aussi la machine de l'erreur et de l'illusion. Si merveilleusement organisée soit-elle, elle est incertaine dans un monde incertain et dans une réalité problématique[2]. Certes, nous pouvons, et parfois avec grande difficulté, acquérir des certitudes, mais c'est sur des faits, des événements, après maintes concordances

---

1. *Le Bégaiement des maîtres*, éditions François Bourin, 1987, p. 22.
2. Cf., notre chapitre 2, « La réalité ».

de sources d'information et maintes vérifications. Or nous ne pouvons échapper à l'interprétation. Les théories scientifiques, comme l'a montré Popper, sont scientifiques parce qu'elles sont critiquables, révisables et, en fait, il ne reste des théories scientifiques du XIXe siècle que celle de l'évolution et de la thermodynamique, qui ont elles-mêmes évolué depuis. Les théories même scientifiques reposent sur des postulats indémontrables, et les principes d'explication sont inexplicables. Induction et déduction, les deux instruments de la rationalité ont chacun leur brèche, la première empirique (Popper), la seconde logique (Gödel et Tarski). Nos métasystèmes cognitifs qui englobent nos connaissances dans une connaissance au second degré ont eux-mêmes leur brèche.

Le cerveau est une machine hypercomplexe, non triviale. Une machine triviale est une machine dont on connaît l'*output* quand on connaît l'*input*, autrement dit, c'est une machine totalement déterministe, comme les machines artificielles que nous avons construites, jusqu'à de récents robots où nous avons introduit l'incertitude. La non-trivialité de l'esprit/cerveau humain n'est pas seulement l'incertitude liée à toute complexité et surtout à toute hypercomplexité, elle tient à l'inattendu possible de ses décisions, actions, compor-

tements, et à ce qui est le moins prévisible d'avance :
la crise de folie, comme celle de Nietzsche à Turin,
le 3 janvier 1889, et surtout tout acte créateur, telle la
neuvième symphonie de Beethoven.

Nous débouchons sur trois mystères :

– Le mystère abyssal de l'inconscient, pas seulement freudien, des désirs, peurs, refoulements, mais
celui de notre cerveau qui fonctionne inconsciemment
avec ses milliards de neurones, de notre esprit qui
fonctionne inconsciemment avec seulement parfois
une petite flamme fragile de conscience à la surface.

– Le mystère de notre organisme, formidable
machine auto-organisée et autorégulée qui fonctionne inconsciemment sauf alerte par trouble ou
douleur.

– Le mystère de notre identité qui contient dans
sa mémoire notre vie fœtale et nos ascendants.

Or cette trinité inséparable, constituée par notre
inconscient, notre organisme, la mémoire incluse
dans notre identité, fait qu'il y a en nous un formidable savoir sur tout ce dont nous sommes issus :
l'univers, la vie, nos ascendants, un savoir que nous
ignorons totalement. Une de nos plus grandes et irré-
médiables ignorances, nous l'avons dit, est de ne pas
savoir ce que nous savons.

La connaissance analogique

L'esprit fonctionne non seulement de façon logique, mais aussi de façon analogique, et peut fonctionner de façon dialogique (assumant et associant des contradictions)[1].

Il est remarquable que la machine à connaître utilise conjointement la logique et l'analogique. L'analogie, qui intervient souvent comme métaphore, est un moyen propre de connaissance encore méprisé aujourd'hui par des scientifiques, bien que réhabilité scientifiquement depuis 1950 par la cybernétique de Norbert Wiener qui a démontré des processus analogues de régulation dans les machines naturelles, les machines humaines dont les sociétés, les machines artificielles.

L'analogie est présente dans tous nos modes de connaissance sauf le calcul, et elle est, selon les circonstances ou les personnalités, contrôlée et corrigée par la logique de la rationalité. De plus, il y a un usage pertinent de l'analogie dans nos processus de connaissance nullement antinomique à la rationalité. L'analogie demeure essentielle dans la vie quotidienne, sous la forme de métaphore ou d'image

---

1. Cf. *La Méthode*, 3, *La Connaissance de la connaissance*, *op. cit.*, p. 139-142.

pour exprimer un sentiment ou une idée. L'analogie est maîtresse dans la poésie. La poésie est un mode de connaissance analogique-magique qui crée un « charme » (*carmen*).

La pensée magique, source de toute mythologie, est fondée sur l'analogie entre le microcosme (humain) et le macrocosme (univers, nature). Il y a pour elle un lien analogique entre le nom et la chose, l'objet et son image. Ainsi, les guérisseurs soignent une maladie à partir d'un objet appartenant au malade ou bien aujourd'hui à partir d'une de ses photos, voire de sa voix transmise par téléphone.

Cette forme de connaissance, qui conduit souvent à des superstitions et des illusions, porte en elle cette vérité longtemps méconnue dans les sciences jusqu'à ce que les développements récents de la cosmologie physique et de la biologie l'aient reconnue : de même que dans l'hologramme le tout se trouve inscrit dans la partie, de même, comme nous l'avons déjà dit, l'humain porte en lui l'aventure de l'univers et l'aventure de la vie. Dans ce sens, l'humain est microcosme, à l'image de l'univers.

Ajoutons qu'il y a, dans la relation analogique entre l'humain et la nature, une vérité exprimée de façon mythique, qui relie les deux termes que la civilisation occidentale a disjoints jusqu'à la conscience écologique récente.

La magie est une conception où animaux et plantes ont des qualités humaines et où les phénomènes naturels sont gouvernés par des esprits tout-puissants. La magie postule une toute-puissance de l'esprit. Celui-ci peut être guérisseur (par chamanisme, magnétisme, imposition des mains) et exorciser le mal ; il peut jeter un mauvais sort, comme par le mauvais œil.

La magie est reléguée dans un passé dépassé ou dans des résidus de superstition. Certes, la magie relève d'une mentalité archaïque, mais son héritage est présent en nous de façon universelle et profonde[1], notamment dans nos mythes et religions.

La mentalité « primitive » de Lévy-Bruhl, infantile, magique, mystique, oubliait que les chasseurs-cueilleurs archaïques usaient de rationalité pour élaborer et utiliser leurs outils, poteries, vaisselles, ornements, faire du feu, édifier leur habitat, pratiquer des stratégies. Lévy-Bruhl oubliait également que les modernes ne sont que partiellement rationnels et souvent infantiles, mythomanes, insensés.

---

1. Cf. *L'Homme et la Mort, op. cit.*

Pouvoirs créatifs de l'esprit

Dans la créativité du vivant, le rôle essentiel est celui de l'appareil reproducteur contenant l'engrammation/mémoire/génétique et la modifiant dans la transformation créatrice.

Dans la créativité humaine, le rôle essentiel est celui de l'esprit/cerveau ; celui-ci a faculté d'invention/création depuis la préhistoire non seulement dans les arts et les techniques, mais dans la prolifération luxuriante des mythes et légendes.

La créativité humaine est en continuité/discontinuité avec la créativité vivante. Il y a continuité dans sa prolifération luxuriante. Il y a discontinuité dans le sens où la création humaine est d'origine psychocérébrale, où elle s'est manifestée dans les civilisations, les techniques, les langages, les cultures, les rites, les religions, les échanges, les édifices et monuments, les œuvres d'art...

Il y a continuité/discontinuité dans les parures, décorations, couleurs du monde animal au monde humain avec les tatouages, dessins sur le visage et le corps, puis les vêtements toujours riches en formes et couleurs dans les civilisations humaines.

Notons une belle continuité dans la discontinuité. Il nous semble que l'acquisition d'ailes soit, nous l'avons vu, le fruit d'une aspiration à voler apparue dans des espèces terrestres comme ces reptiles devenus oiseaux, insectes, mammifères (chauve-souris). Or les humains ont ressenti la même aspiration. Ils l'ont traduite en représentant des anges, espèce volante à face humaine, ou en essayant de voler, tel Icare avec des ailes de plume et de cire. Léonard de Vinci réalisa la maquette d'un homme volant. Même après l'invention de l'avion, Clem Sohn se jeta avec des ailes artificielles du haut de la tour Eiffel et se tua. Mais, déjà, Clément Ader avait réussi à créer une machine à ailes, dotée d'un moteur et d'une hélice (dans l'impossibilité d'agiter les ailes) et avait réussi à s'arracher quelque peu au sol. L'aviation alors se développa et nous sommes devenus des êtres volants, mais au cœur d'un aéronef.

L'esprit/cerveau bouillonne nuit et jour. Comme le dit Maeterlinck : « Il y a dans notre âme une mer intérieure, une effrayante et véritable *mare tenebrarum* où sévissent les étranges tempêtes de l'inarticulé et de l'inexprimable. » Le rêve est comme un dépotoir rempli de choses précieuses mêlées à des déchets : il y a du souvenir, de l'imaginaire, du symbolique, parfois, peut-être, de la prémonition, parfois du travail intellectuel[1]... Le pouvoir créateur du

---

1. Erreur de chercher la clé des songes, chercher plutôt un trousseau de clés.

rêve est extraordinaire : nos rêves reproduisent des personnages vivants, aussi vrais que dans la veille, des événements prodigieux, du vraisemblable et du fantastique. Et, chaque nuit, il émerge de notre esprit une prolifération créative fabuleuse.

Si nous pouvions nous trouver à l'intérieur de l'esprit/cerveau d'un humain qui effectue de façon routinière son travail, nous découvririons rêves diurnes, fantasmes, songeries, dialogues, exploits, meurtres imaginaires, fantasmes érotiques.

Nous ne sommes pas maîtres de notre esprit. La conversion nous montre comment celui-ci peut être transformé par une illumination soudaine. C'est le cas de Saül, persécuteur des disciples de Jésus, qui s'effondre sur le chemin de Damas quand Jésus lui apparaît en lui demandant : « Saül, Saül, pourquoi me persécutes-tu ? » Et Saül devenant Paul se transforme en fondateur du christianisme. Il y eut bien d'autres conversions illuminantes, telles celle d'Augustin et, au XXᵉ siècle, celle de Paul Claudel. Tout se passe comme si dans un esprit sceptique, voire hostile à une foi religieuse (y compris pour une religion de salut terrestre, comme le fut le communisme), cette foi rongeait de l'intérieur, inconsciemment, toute la structure rationnelle du sceptique et, soudainement, sous un choc illuminant, la détruisait et la remplaçait. Alors que le besoin de certitude et de foi suscite la conversion, il faut un difficile travail critique pour arriver à la déconversion.

Rien n'est acquis dans le domaine de l'esprit. Romain Rolland, qui fut le seul intellectuel en 1914-1918 à condamner la guerre fratricide dans la lucidité de son *Au-dessus de la mêlée*, sombra dans l'aveuglement stalinien de 1930 jusqu'aux procès de Moscou. Moi-même, qui à dix-huit ans avait acquis une culture politique me rendant très lucidement hostile au communisme stalinien, m'y convertis en 1942, après la résistance de Moscou à la Wehrmacht [1], en me donnant des arguments que je crus rationnellement décisifs[2].

Depuis saint Augustin jusqu'à Aragon, Éluard, Jean Toussaint Desanti, Joliot-Curie, que de conversions d'esprits sceptiques, lucides, rationnels, scientifiques à une foi absurde ! Du reste, c'est par conscience des impuissances de la raison que le *credo quia absurdum* s'est imposé à Paul, Augustin, Pascal et tant d'autres.

---

1. J'ai évoqué dans *Autocritique* les arguments qui ont déterminé ma conversion et m'ont amené à occulter pendant cinq ans la juste connaissance que j'avais du stalinisme.
2. Je les cite dans *Autocritique*, p. 79 *sqq.*

L'extraordinaire est que, depuis les origines d'*Homo sapiens/demens*, l'esprit/cerveau produit des fantasmes qui, tels des ectoplasmes se concrétisant, prennent forme, corps, substance de mythes, de spectres, d'esprits et de dieux.

L'esprit humain est mytho-*poïétique*, et plus encore producteur de dieux, lesquels dans et pour une collectivité prennent autorité et puissance jusqu'à coloniser les esprits sans lesquels ils n'existeraient pas.

L'être humain a une aptitude hystérique, c'est-à-dire la capacité de donner une réalité physique à une réalité psychique. Ainsi en est-il de la somatisation où un trouble mental ou moral suscite une sciatique ou une tumeur dans notre corps. Je prétends que l'aptitude hystérique est beaucoup plus ample et se manifeste par la capacité de donner réalité, voire surréalité, à des productions imaginaires.

Ainsi en est-il des innombrables esprits présents dans les sociétés archaïques (et ces esprits sont revenus au XIXe siècle dans les maisons hantées et les séances spirites). Les esprits ont été quasi divinisés dans les *orixás* du candomblé ou du vaudou, et ils s'incarnent dans la personne des fidèles au cours des rites de possession.

Il y a peut-être à l'origine des esprits le « double » qui, dans la croyance archaïque encore latente en nous, se manifeste par l'ombre, le reflet, l'image de soi, et s'active dans les rêves ; le double survit comme spectre immatériel après la mort et pourra devenir esprit de l'ancêtre comme dans le culte familial de la Rome antique, et encore aujourd'hui de la Chine et du Japon[1]. On peut se demander si ce double n'est pas devenu le *Daimon* des Grecs, sorte de conseiller bénéfique à la fois intérieur et extérieur à la personne, ce qui nous incite à croire qu'il a pu devenir aussi l'ange gardien protecteur des temps christianisés.

Tous les esprits nés de nos esprits se nourrissent de nos esprits et les nourrissent de leur protection ou du salut qu'ils nous promettent.

Le pouvoir mythocréateur de l'esprit humain s'est surtout manifesté dans toute civilisation par la création des dieux : l'*Iliade* nous montre l'intervention des dieux olympiens dans les affaires humaines, notamment les guerres. Des dieux terrifiants d'exigences sanglantes, tels les dieux mésopotamiens ou aztèques, ont imposé des sacrifices humains. Quant au dieu de la Bible, il a exigé le massacre des Cananéens – femmes, enfants, animaux, arbres fruitiers inclus. Le dieu des monothéismes exige une adoration permanente, des louanges incessantes, et l'obéissance à ses ordres les plus cruels. Nous sommes capables de

---

1. Cf. *L'Homme et la Mort.*

mourir ou de tuer pour un dieu qui n'existerait pas sans nous. Nous en dépendons totalement alors que son existence ne dépend que de nous. Les dieux sont immortels tant qu'ils disposent de croyants, mais ils sont mortels quand les croyants disparaissent.

Puis, dans les esprits laïcisés des sociétés modernes, des idées sont devenues toutes-puissantes – nationalisme, communisme, fascisme –, exigeant de leurs fidèles obéissance (*perinde ac cadaver*). Des idéologies se prétendant sciences, tels le marxisme et, aujourd'hui, le libéralisme économique, possèdent inconditionnellement les esprits qui y ont foi. Au sein même d'esprits scientifiques, des idées illusoires ont dogmatiquement régné comme celles du déterminisme universel ou celles du réductionnisme.

Alors que l'imaginaire devient réel dans les dieux, il est d'autres pouvoirs créateurs de réalité imaginaire, mais dans la pleine conscience de leur caractère imaginaire. C'est le pouvoir des romanciers, et surtout des plus grands : Balzac, Dickens, Zola, Proust, Musil, etc., de recréer des univers humains et sociaux, des personnages, situations, événements d'une infinie richesse, diversité et complexité. Cas extrêmes certes, mais ce sont les cas extrêmes qui vont nous éclairer sur ces pouvoirs de l'esprit humain auxquels nous sommes souvent aveugles.

L'imaginaire collabore avec le réel dans le roman où s'opère la naissance d'un univers fantôme doté d'effet de réalité ; de même dans les différents arts.

Chamanisme

Pour reconnaître les plus grandes et étranges aptitudes de l'esprit humain, il faut nous référer au chamanisme, longtemps sous-estimé ou considéré comme curiosité ethnographique. Le chamanisme est universel dans les sociétés archaïques de Sibérie, d'Amérique, d'Asie. Le druide gaulois semble avoir été un chaman. Le chaman persiste dans des sociétés traditionnelles sous forme dégradée de sorcier ou guérisseur. Il ressuscite aujourd'hui dans les villes du Pérou, de Colombie, du Brésil. Le chamanisme a longtemps été considéré par les modernes comme tissu de croyances et superstitions irrationnelles jusqu'à ce que des expérimentateurs d'origine occidentale[1] aient vérifié ses efficacités curatives et prédictives.

---

1. Gala Naoumova : *Taïga transes. Voyage initiatique au pays des chamans sibériens*, Calmann-Lévy, 2002. Corinne Sombrun, *Les Esprits de la steppe*, Albin Michel, 2012. Cf. le premier livre d'ensemble, Mircea Eliade, *Le Chamanisme et les techniques archaïques de l'extase*, Payot, 1992.

Le chaman est à la fois « sage, thérapeute, conseiller, guérisseur et voyant ». Il est l'initié dépositaire de la culture, des croyances, des pratiques qui permettent de communiquer avec les esprits (esprits des ancêtres, esprit des animaux) au sein d'une conception du monde magico-analogique où tout communique. Il élabore et dirige les rituels des cérémonies où il commerce avec le monde invisible et guérit soit par action psychique directe, soit par utilisation de plantes ou substances thérapeutiques ; il jouit de perception extrasensorielle : télépathie, prescience, vision à de grandes distances, divination ; il relie le monde des morts à celui des vivants.

L'activité de l'esprit/cerveau chamanique est stimulée par un breuvage comme l'ayahuasca en Amazonie ou le peyotl, champignon hallucinogène au Mexique, par le tambour monotone, le chant réitératif, et elle se manifeste dans et par l'état de transe. C'est dans la transe que le chaman communique avec le monde des esprits (ancêtres, génies des lieux) comme avec le monde de la vie, plantes ou animaux (selon Jeremy Narby la communication se ferait par l'universel ADN, langage génétique identique pour tout être vivant[1]).

---

1. *Le Serpent cosmique : l'ADN et les origines du savoir* [« The Cosmic Serpent : DNA and the Origins of Knowledge »], Georg Éditeur, 1997.

Le chaman peut accéder télépathiquement à des connaissances cachées dans les plantes, les animaux. Il fut même, croyons-nous, le mentor et l'instructeur dans l'humanité préhistorique et archaïque.

Il semble probable que les chamans aient joué un rôle vital pour l'alimentation de leurs peuples, comme nous l'estimons en Amazonie et chez les Indiens Pueblos du Mexique. L'extraordinaire diversité luxuriante de la végétation amazonienne fait qu'il aurait été impossible que les indigènes aient pu trouver au hasard les plantes comestibles ou thérapeutiques vitalement nécessaires. Le savoir chamanique leur aurait sélectionné les plantes comestibles et signalé les vénéneuses. Les communautés Pueblos faisaient cuire leur maïs dont elles se nourrissaient exclusivement, chacune de façon différente, selon des préparations étranges à base d'écorces d'arbre ou d'autres composants. Les anthropologues considéraient que ces pratiques relevaient de la superstition jusqu'à ce que le bioanthropologue[1], faisant l'analyse des additifs apportés à la cuisson du maïs, ait constaté que ces additifs permettaient l'assimilation de la lysine, substance nutritive du maïs, par l'organisme humain.

---

1. S. H. Katz, cf. *L'Unité de l'homme.*

Le chamanisme comporterait donc une télé-connaissance, ou télépathie qui, se manifestant dans les états de transe, constituerait des états de voyance. Il nous faut supposer des processus cognitifs qui relèvent d'un type d'intuition soit mimétique-analogique (la mimêsis est une activité de l'esprit incluant et suscitant une connaissance[1]), soit médiumnique.

Certains individus ressentent très jeunes en eux le « don » chamanique. D'autres, fils ou filles de chamans, sont éduqués par leurs parents pour devenir chamans. Cela signifie à nos yeux que la potentialité des dons psychiques du chamanisme serait présente en tout humain, qu'il suffirait de la cultiver, mais qu'elle ne se manifeste spontanément qu'en certains esprits.

Par ailleurs, il me semble hautement probable que les artistes qui ont réalisé les peintures rupestres préhistoriques des grottes Chauvet, Lascaux et autres aient été des chamans capables de reproduire par mimêsis, avec un réalisme saisissant, des animaux qu'ils ne pouvaient observer directement dans les profondeurs caverneuses. C'est de mémoire qu'ils exécutaient leurs œuvres, sans doute dans un état de transe atténuée qui est celle de tout artiste créateur.

---

1. Cf. pages suivantes.

Moi-même, sans vouloir poser à l'artiste, je faisais de tête, hors de leur présence, des caricatures très ressemblantes de mes proches, mais dès que je voulais dessiner analytiquement en regardant mon modèle, dessinant successivement front, yeux, lèvres, je ratais la ressemblance.

Mimêsis

Il y a des mimétismes qui sont de véritables possessions : j'adorais imiter mon maître et ami G. F. à ce point que ce besoin de l'imiter me possédait très souvent. Mais, ce qui me possédait surtout, c'était sa personne : imitant sa voix, je pensais comme lui, j'étais lui, tout en restant à peine moi.

Mimêsis du rêve : j'ai été stupéfait un matin d'avoir eu en rêve la présence intégrale de G. M., avec sa façon de penser, de parler, sa voix...

La mimêsis est une activité mentale essentielle, que René Girard a mise en relief et qu'il a peut-être trop ventilée dans la rivalité.

Le mimétisme a des sources préhumaines : les mimétismes animaux sont innombrables et de divers types, couleurs et formes chez des insectes, mais aussi reptiles, oiseaux, mammifères. L'aptitude humaine est d'abord mentale : elle est dans l'esprit de l'artiste-chaman produisant des peintures rupestres d'animaux sans avoir les modèles sous les yeux, elle est dans le comédien habitant son rôle, elle est dans le spectateur de film ressentant les sentiments des personnages.

Il est enfin très important de comprendre que la mimêsis est une connaissance de type analogique, et que cette connaissance mimétique permet une re-création de ce qui est mimé dans un nouveau domaine. Aussi, le mimétisme est un mode de connaissance qui permet la créativité.

Victor Serge a noté qu'il écrivait ses romans dans un état de transe. Un état second, à la fois de transe atténuée (non convulsive), comme possédé par les personnages qu'il a créés, et mimétique, c'est-à-dire en ressentant ce qui se passe à l'intérieur de ses personnages. Le romancier dispose d'un pouvoir postchamanique dans l'aptitude à créer des personnages vivants, à pénétrer dans leur subjectivité, à recréer un monde social et naturel ; mais sur le plan de la fiction reconnue comme telle, d'une aptitude de même nature créatrice, surréelle, que celle à faire des dieux et des mythes qui prennent vie.

Post-chamans sont les grands écrivains, les grands musiciens, les grands peintres, les grands poètes.

Un Rembrandt possède une aptitude mimétique qui, à travers le visage, révèle l'âme de son modèle. Miró constatait : « Il m'est difficile de parler de ma peinture car elle est toujours née d'un état d'hallucination. » Café (Balzac), cocaïne (Cocteau et autres), alcools aident le créateur à se mettre dans un état second, proche de la transe ou de l'hallucination.

Le flamenco illustre bien le moment où chanteur et/ou danseur deviennent possédés par la musique et entrent en transe. Après ses premiers « Ay ! », le chanteur n'est pas encore inspiré, la magie n'opère pas encore, puis soudain peut apparaître le « duende », c'est-à-dire la transfiguration de la voix ; le public andalou ressent très fortement et exprime par ses « olé ! » et exclamations l'arrivée du sublime.

La créativité peut se manifester durant le sommeil pendant lequel le savant trouve la solution du problème qu'il n'arrivait pas à résoudre à l'état de veille.

L'état somnambulique peut susciter une extralucidité. Je me souviens que, rentrant de voyage, mon épouse Edwige ne retrouvait pas les clés qu'elle avait cachées pendant notre absence. Elle les cherchait vainement partout, des jours durant. Une nuit, elle se lève, somnambule, je la suis ; elle va à la salle de bains, grimpe sur le rebord de la baignoire, ouvre un placard, plonge sa main sous une pile de serviettes, en retire un trousseau de clés, redescend et repart vers le lit. Je lui prends doucement le trousseau de la main. Le matin, quand elle se réveille, je lui agite les clés sous les yeux. « Où les as-tu trouvées ? » me demande-t-elle.

Les médiums se mettent en état somnambulique pour communiquer avec les esprits. Et les esprits se manifestent. Selon moi, les esprits, comme les *Daimon* et anges gardiens, comme les dieux, existent réellement, mais ils existent parce que nourris et entretenus par nos esprits/cerveaux, d'autant plus réels et puissants qu'une communauté de croyants collabore à en nourrir et à en entretenir l'existence.

Ce qui est remarquable est que si toutes les créations de l'art, y compris l'art du comédien, comportent une source d'inspiration post-chamanique ou sous-chamanique, elles sont aussi à moitié chamaniques, car elles comportent la collaboration d'une conscience rationnelle, critique qui corrige, retouche, défait, modifie. Eisenstein a bien saisi le double aspect de la création : la plongée dans les sources souterraines et la montée vers les plus hauts niveaux de la conscience : « L'art ne serait-il pas une régression artificielle dans le champ de la psychologie, vers les formes de la pensée primitive, autrement dit un phénomène identique à celui provoqué par n'importe quelle drogue, boisson alcoolique, magie, religion, etc. La réponse à cette question : la dialectique de l'œuvre d'art est construite sur une très curieuse "unité dualiste" : en elle s'accomplit un procès dualiste : une impétueuse montée selon les niveaux les plus hauts de la conscience et la pénétration simultanée dans les couches les plus souterraines de la pensée sensorielle. »

Une création humaine est une combinaison de transe et de conscience, de possession et de rationalité.

Ainsi, le logique collabore avec l'analogique, le rationnel avec l'intuitif dans toutes grandes créations, et celles-ci, lorsqu'elles atteignent au sublime, offrent à l'auditeur, spectateur, lecteur, le charme (dans le sens fort du terme) et la magie (dans le sens métaphorique du terme) d'un état second d'émerveillement et de béatitude.

Nous considérons les états de transe et de possession du chamanisme[1] et ceux des rites, tels le candomblé ou le vaudou, comme des cas extrêmes. Mais nous avons aussi nos états plus ou moins

---

1. Le chamanisme est universel dans les sociétés archaïques de tous les continents et revient dans le monde urbain contemporain.

intenses de possession, de demi-transe, dans nos moments poétiques ou esthétiques d'admiration, d'émerveillement, de fascination, d'ivresse, dans le jeu, bref, dans toutes nos exaltations. Nous les cherchons parfois dans l'alcool et les drogues, et surtout dans les fêtes et dans l'amour.

Nous vivons transes et possessions dans les ferveurs ou paniques de foule, être collectif qui se forme dans certaines conditions psychologiques et démographiques, les individus devenant provisoirement cellules intégrées dans un organisme polycellulaire en délire. Nous les vivons aux moments frénétiques, fanatiques et fantastiques où notre équipe de football marque le but de la victoire.

Nous devons reconnaître les pouvoirs inouïs de la fascination que nous pouvons ressentir dans un visage rencontré au hasard, dans le métro, ou dans le visage en gros plan d'une star de cinéma[1]. Le pouvoir d'attraction quasi gravitationnel de l'Éros nous met dans un état de possession souvent irrépressible (état dit platement d' « excitation »). Cet état tient de l'envoûtement, et le coït le paroxyse[2]

---

1. D'où est issu un culte spécifique, celui des stars, cf. E. Morin *Les Stars*. Seuil, coll. « Points », 1972.

2. C'est curieux qu'à l'exception des chats ce soit chez les humains que l'acte d'amour suscite une violence convulsive semblable à une agonie.

dans une véritable extase. Ce qu'on appelle porno a quelque chose de mystique, sacré et religieux où le culte du pénis, du vagin, l'éjaculation effectuent inconsciemment un rite cosmique...

L'état poétique

Reprenons ici l'idée, maintes fois exprimée dans mon œuvre, que nos vies sont polarisées entre prose et poésie. Comme je l'ai dit dans un chapitre précédent, la prose de la vie concerne les obligations, contraintes ou nécessités que nous exécutons sans plaisir. La poésie se manifeste dans tous les états de communion, d'effusion, d'émerveillement, de jeu, d'amour, y compris les états de jouissance esthétique qui nous mettent dans un état second d'émotion heureuse. Le bonheur est un accomplissement d'état poétique. « C'est en ressentant ce qui est poétique qu'on le connaît et le comprend, il ne peut être connu et compris qu'en étant ressenti » (Leopardi).

L'état de poésie constitue l'aspiration la plus profonde de l'être humain.

Les états poétiques vont de l'émotion esthétique à l'enthousiasme, de l'admiration à l'émerveillement, du petit plaisir trouvé dans le quotidien à l'ivresse de la fête, de l'exaltation amoureuse à l'extase. Ils suscitent un « état second » qui, en s'amplifiant, relève de la transe et de la possession.

Récapitulons les mots qui expriment les différentes formes des états poétiques et qui englobent les états post-chamaniques :

État second : il a d'abord eu une définition pathologique, comme trouble de la conscience, propre à l'hystérie ou à l'hypnose. Nous l'extirpons ici de son carcan morbide pour en faire un terme générique des états poétiques ; il se manifeste dans les états de communion comme dans les états de création ; l'hystérie et l'hypnose sont des caractères extrêmes des états seconds.

État esthétique : état d'émotion poétique, plaisante ou heureuse, suscitée par le spectacle de la nature, un événement, une conduite humaine, et, bien entendu, une œuvre d'art.

État d'émerveillement : état de très grande admiration, émotion esthétique intensifiée.

État de communion : accord et harmonie de sentiment ou idée partagé collectivement.

État mystique : dans son premier sens grec, ce qui relève de la connaissance des mystères ; sentiment d'entrer, au-delà du voile des apparences, dans une identification/fusion avec la plus haute des réalités ; l'état mystique donne un sentiment d'unité et d'harmonie. En ce qui concerne l'auteur, sentiment très fort du mystère de ce qui est, « le mystère quotidien de nous-mêmes et du monde », disait Vladimir Jankélévitch[1]. Je ne résiste pas à l'envie de citer une phrase curieuse de Freud dans une lettre à Adamek : « Tout individu intelligent a bien une limite où il se met à devenir mystique, là où commence son être le plus personnel. »

État de possession : état où l'on est habité par une divinité, un esprit, un ancêtre, un démon, une autre personne ou des forces inconnues.

État de transe : état qui survient dans la possession, la divination (Pythie), la médiumnité, l'orgasme, l'inspiration poétique, littéraire ou musicale, la fête. C'est l'état second, plaque tournante où se rencontrent les autres états post-chamaniques. Gilles Léothaud[2] a établi une distinction entre transe chamanique, transe identificatoire et transe empathique ; la transe chamanique peut être « dramatique » (c'est-à-dire violente, convulsive) ou cataleptique ; la transe identificatoire recouvre les états de possession soit par des esprits supérieurs

---

1. Pour moi, il y a complémentarité entre esprit mystique et esprit critique tout en maintenant leur antagonisme. De même qu'entre esprit rationnel et esprit passionnel.

2. Dans son cours consacré à « Musique et transe », qu'il nous a communiqué.

dans des cultes et des rites magico-religieux, comme le candomblé, soit par des esprits mauvais ou diaboliques, comme ce fut le cas des possédées de Loudun[1] ; la transe empathique recouvre des états mystico-religieux (comme celle de Thérèse d'Avila ou de Sabb taï Tsevi) qui conduisent à l'extase, mais également des états profanes, comme le *tarab*[2] arabe et le *duende* propre au flamenco, qui donnent au spectateur une transe de communion exaltée.

État d'exaltation : qui porte l'euphorie au plus haut degré d'intensité.

État d'inspiration : sentiment d'un souffle créateur qui anime l'artiste et qui est une forme de l'état de transe.

État sacré : état hautement poétique où l'émotion comporte un infini respect, de la dévotion, de la piété, pouvant aller jusqu'à l'adoration.

État d'adoration : état d'amour à fois mystique et sacré pour le divinisé ou le divin.

---

1. Que retrace à sa façon le film sublime de Jerzy Kawalerowicz, *Mère Jeanne des Anges*, 1961.
2. Gilles Léothaud rapporte qu'un calife omeyyade du VIIIe siècle, déchira ses vêtements d'exaltation sous l'effet de la musique d'un grand chanteur de son temps.

Extase

L'extase est l'accomplissement suprême des états poétiques.

Il y a dans tout ce qui est poésie, amour, participation, un affaiblissement, mais non une inhibition, des centres séparateurs cérébraux entre le moi et le monde... Dans ces états privilégiés de communion, on est à cheval entre la séparation et la non-séparation.

Les ferveurs mystiques (comme celle de Jean de la Croix ou de Djalal al-Din Rumi, le rite halluciné, la méditation bouddhiste, l'adoration), qui sont elles-mêmes des transes de communion, conduisent à l'extase, état privilégié où les lobes cérébraux qui opèrent la séparation entre le moi et le monde, entre le moi et l'autre, entre le moi et le nous sont non seulement affaiblis, mais inhibés.

L'extase est l'état paradoxal où l'on se trouve en se perdant, où l'on s'accomplit en s'oubliant.

L'extase procure le sentiment de fusion avec l'Adoré, l'Absolu ou le Tout.

Les voies vers l'extase sont multiples, elles peuvent être celles de l'intensité extrême de la transe mystique, de la fête, de l'ivresse, de la passion, ou, au contraire, de la sérénité extrême d'une méditation transcendantale.

Si l'état de poésie est l'aspiration profonde de l'être humain, l'extase est l'aspiration suprême de cette aspiration[1].

L'extase nous dit-elle la possibilité d'expérimenter l'indicible? Est-elle communion avec l'inconnaissable? Peut-on faire ici l'hypothèse que l'extase, par interaction cérébrale avec la réalité quantique[2], permettrait cette communion?

À l'extrémité du *samsara*, il y a la vie « prosaïque », plus ou moins automatisée, mécanisée, asservie. Puis, s'en écartant, apparaît la vie poétique de communion laquelle, dans l'exaltation, arrive aux approches extatiques du *nirvana*...

Intuition

L'intuition est-elle une qualité cognitive dont disposerait, hors raisonnement et hors expérience, notre esprit/cerveau? Est-elle le produit conscient d'un processus inconscient? Distinguons deux types d'intuition. Il y a une intuition, en fait très

---

1. Gilles Léothaud a nettement distingué transe et extase alors qu'on peut les confondre puisqu'une transe extrême peut devenir extase; mais elle acquiert la béatitude, l'extrême sérénité, le sentiment d'absolu.

2. Roger Penrose, physicien, pense que les capacités non algorithmiques de la conscience viennent de ses connexions avec la physique quantique.

rationnelle, où l'esprit intuitif discerne, à des mouvements imperceptibles dans la physionomie de son interlocuteur, les sentiments qu'il éprouve et qu'il cache. Ainsi, le cheval calculateur Clever Hans, qui répondait à des questions d'arithmétique, donnait, en tapant du sabot, le bon chiffre quand il percevait sur le visage de son maître (que celui-ci croyait hermétique) la satisfaction du résultat.

L'intuition qui concerne autrui est souvent favorisée par ce que Bergson, pour la définir, appelle « une sorte de sympathie avec l'objet de connaissance ». Cette sympathie n'est-elle pas déjà un début de mimêsis ?

Il est une autre intuition, apparemment irraisonnée, comme celle de la proximité d'un danger. Or ce type d'intuition, comme celle de certains animaux qui prévoient l'arrivée d'un tremblement de terre, vient probablement, comme celle de Clever Hans, de la détection de signaux imperceptibles pour les humains, peut-être par le biais d'un « sixième sens ».

Mais l'intuition de la mort au loin d'un proche ou d'un futur événement ne peut venir de la détection de ce type de signaux. Elle vient d'une communication de nature inconnue. Il y a sans doute des cas de pseudo-télépathie, de faux pressentiments, mais quelques cas véridiques qui ne peuvent relever du hasard suffisent pour authentifier la capacité de l'esprit/cerveau à émettre ou capter des signaux hors de portée de nos sens. Ces cas pourraient donner corps à l'hypothèse que l'esprit/cerveau humain connaîtrait des moments transgressant temps et espace...

Du point de vue de la connaissance, comment les animaux ont-ils acquis leur savoir sur les nourritures qui leur sont vitales et celles qui leur sont nuisibles ? Comment les chats reconnaissent-ils les herbes qui les guérissent quand ils sont malades ? Comment certains animaux, chiens ou chèvres, pressentent-ils les tremblements de terre avant leur arrivée ? De telles possibilités prémonitoires ne sont-elles pas dormantes ou atrophiées dans nos propres cerveaux ? Le chamanisme n'a-t-il pas renoué avec des modes de connaissance très répandus dans le monde animal et même végétal ?

Pour essayer de comprendre l'acquisition de connaissances par des voies apparemment non rationnelles, on peut reprendre l'hypothèse de Jeremy Narby sur la connaissance chamanique qui s'opérerait par la voie du langage universel de la vie qu'est l'ADN, et généraliser cette hypothèse à l'ensemble du monde animal et végétal. On peut imaginer aussi une voie télépathique, mais également partir de l'idée clé que tout ce qui est séparé est inséparable et que l'inséparabilité se manifeste d'une certaine façon à travers les intuitions chamaniques ou autres.

La connaissance chamanique relève peut-être de l'énigme, qui peut être résolue par la découverte d'un mode de connexion encore non détecté, comme ce fut le cas de l'électromagnétisme par Maxwell. Je crois qu'il est des modes de communication que nous pourrons découvrir comme furent découvertes récemment les ondes gravitationnelles jusqu'alors indétectables.

La créativité, elle, est mystère ! Elle peut être stimulée ou déclenchée par des interactions non élucidées entre notre niveau de réalité physique et le niveau de réalité quantique, et ces interactions sont de nature à susciter la créativité aussi bien dans l'évolution biologique que dans la créativité humaine de l'esprit/cerveau. Je crois surtout que la force créatrice échappe à toute dénomination et reste en dernière analyse un « mystère indicible » (Klee).

Nous avons pu dire que cette créativité, notamment dans le domaine des œuvres d'art, était inséparable d'un état de transe ou de possession même atténué (appelé banalement inspiration).

Conclusion

Une autre créativité s'est manifestée dans les développements inter-rétro-actifs : science/technique/économie, propres aux temps modernes occidentaux. Ils ont suscité le déploiement, puis le déchaînement, des pouvoirs humains sur la nature et sur l'humanité elle-même dans et par l'apparition et l'utilisation généralisée des techniques permettant la captation des énergies matérielles (vapeur, électricité, atome), puis le développement de machines artificielles de plus en plus puissantes et perfectionnées, en même temps que la production d'armes de mort massive devenant des armes d'anéantissement. Notre civilisation en se mondialisant a en effet été animée par une démesure destructrice dégradant la biosphère et l'anthroposphère elles-mêmes. J'ai traité cette question abondamment[1].

Il est de plus en plus évident que la civilisation de la puissance technique et du bien-être matériel a négligé les aspirations et besoins de l'esprit et de l'âme humaine. Son hyperactivisme a ignoré la vie intérieure, le besoin de paix et de sérénité, accordant à ces besoins un temps déterminé de loisirs ou de

---

1. Cf. *Terre-Patrie*, Seuil, 1993 ; *La Voie*, Fayard, 2011.

vacances pour mieux retourner à l'hyperactivité, au temps chronométré, à l'emprise du calcul, du profit et de l'intérêt personnel.

Alors que l'occidentalisation submerge l'Orient, c'est de la désorientation (ce terme tombe bien) des esprits occidentaux que viennent les appels et les recours au yoga, à la méditation et au bouddhisme.

Relisons *Fondation* d'Isaac Asimov, magnifique ouvrage de science-fiction. Les sages d'un formidable empire intergalactique en décomposition créent sur la planète Terminus une Fondation sauvegardant encyclopédiquement toutes les conquêtes scientifiques et techniques de leur civilisation, afin d'échapper au déclin et à la mort. Toutefois, le déclin se poursuit, mais, au moment où il semble irrémédiable, les survivants prennent connaissance d'un message hologrammatique du créateur décédé de la Fondation. Il révèle que celle-ci était un prétexte pour dissimuler la création d'une autre Fondation, vouée à développer uniquement les pouvoirs spirituels, les seuls valides, les seuls bénéfiques, les seuls capables d'aménager un bien-vivre. Cette fondation vivra.

Les deux fondations d'Asimov expriment les deux aventures disjointes de l'esprit humain. L'une cherche à l'extérieur à dévoiler, voire à posséder, les secrets du monde physique, de la vie, de la société et elle a développé une science capable de tout connaître, mais incapable de se connaître et produisant, aujourd'hui, non seulement des élucidations bénéfiques, mais des aveuglements malfaisants et des pouvoirs terrifiants. L'autre aventure cherche, à l'intérieur de soi, à se connaître, à méditer sur ce qu'on sait et ce qu'on ne sait pas, à se nourrir de poésie vitale, à ressentir l'émouvant, le beau, l'admirable. La première est l'aventure conquérante de la trinité science/technique/économie. La seconde est l'aventure de la philosophie, de la poésie, de la compréhension, de la compassion.

CHAPITRE 8

Post-humanité

*Dans leur forme ultime, les robots ne seront
ni les esclaves ni les adversaires de l'humanité,
mais l'humanité elle-même, transfigurée. Les
êtres humains ne seront pas supplantés par les
robots : ils deviendront des robots.*
Ito Toshiharu

*Jamais l'humanité n'a réuni tant de
puissance à tant de désarroi, tant de soucis et
tant de jouets, tant de connaissances et tant
d'incertitudes. L'inquiétude et la futilité se
partagent nos jours.*
Paul Valéry (1932)

Les moteurs qui propulsent le vaisseau spatial
Terre sont science/technique/économie. Ils nous
dirigent vers deux avenirs divergents et antinomiques. L'un et l'autre ont déjà commencé.

Désastre

Le premier est lourd de menaces.

Tout d'abord l'aventure de la mondialisation[1] est profondément ambivalente, et il est difficile de mesurer l'importance comparée de ses caractères négatifs et positifs : ses impératifs, croissance, développement, occidentalisation, produisent des processus positifs qui sapent les autoritarismes des sociétés traditionnelles, créent des zones de prospérité, favorisent les échanges culturels internationaux, mais produisent en contrepartie des processus négatifs, convertissent massivement des pauvretés en misères, accroissent sans discontinuer les inégalités, détruisent les solidarités, perturbent les civilisations traditionnelles et les régulations naturelles de la biosphère.

L'unification techno-économique du globe et la multiplication des communications ont provoqué non pas une conscience de communauté de destins humains, mais, au contraire, les replis particularistes sur des identités ethniques et/ou religieuses ; non pas une grande union, mais une multiplication de dislocations et ruptures politiques et culturelles dégénérant en conflits.

---

1. Cf. *La Voie, op. cit.*

Au-delà de ses ambivalences, le processus mondialisant, qui continue de façon irrésistible, tend à accroître, accumuler et combiner des processus conduisant à des catastrophes en chaîne.

Notons :

La dégradation continue de la biosphère, que rien n'est venu freiner, comprend non seulement les pollutions urbaines et industrielles, non seulement la diminution de la biodiversité, non seulement le réchauffement climatique, non seulement les déforestations massives, non seulement la dévitalisation des océans, mais aussi la stérilisation massive des sols voués aux monocultures de l'agriculture industrialisée, produisant des aliments standardisés, insipides, porteurs de pesticides, dangereux pour la santé des peuples de la planète.

L'hégémonie mondiale de la finance sur les économies et sur les États a provoqué le règne du profit immédiat soumettant États-nations et genre humain à son empire.

L'absence de véritable régulation pour l'économie mondialisée a suscité les appropriations spéculatives, l'énorme puissance financière des mafias, les évasions de capitaux puis la crise financière de 2008 qui se poursuit par soubresauts, aggravant le sort des classes pauvres et moyennes.

La planète subira de plus en plus deux types de crises de civilisation ; la crise des civilisations traditionnelles sous les effets de l'occidentalisation, la crise de la civilisation occidentale où le bien-être matériel n'a pas forcément produit le bien-vivre, où le calcul, le profit, la standardisation de la vie sont devenus hégémoniques. Ces deux crises suscitent de plus en plus d'insatisfactions, de rancœurs, de frustrations, de révoltes ; ces deux crises se lient dans la crise de l'humanité qui n'arrive pas à devenir humanité.

La multiplication et la miniaturisation des armes nucléaires augmentent les risques de leur utilisation dans le contexte des fanatismes et des aveuglements croissants. À quoi s'ajoutent les nouvelles formes de guerre (missiles, drones, attentats-suicides qui tuent indistinctement les populations) et à quoi s'ajouteront les cyberattaques d'une guerre informatique frappant les réseaux nerveux vitaux des sociétés.

La multiplication des sources de conflits, des situations de guerre, provoque le déchaînement des fanatismes ethniques, nationaux, religieux, qui ont conduit à la désintégration de nations, comme la Libye, l'Irak, la Syrie, conflits s'internationalisant et répandant leurs métastases sur l'ensemble de la planète.

L'aggravation des relations entre le monde occidental et le monde arabo-islamique est devenue une source croissante de séditions et violences.

La multiplication des migrations de guerre, de persécutions, de misère, provoque des réactions de plus en plus xénophobes et racistes dans les pays qui refusent l'accueil ou parquent les réfugiés dans des camps.

Le somnambulisme du monde politique, qui vit au jour le jour, du monde intellectuel aveugle à la complexité, l'inconscience généralisée contribuent à la marche vers les désastres.

Tout concourt donc à nous faire envisager la probabilité d'un avenir où une multiplicité de catastrophes se provoquant les unes les autres conduirait à de grands cataclysmes frappant tous les aspects de la vie humaine, opérant des régressions générales de civilisation, dont seraient victimes les libertés, les démocraties, les conquêtes sociales subsistant encore. Bien entendu, ce ne sont que des probabilités, rien n'est certain, mais on ne saurait échapper à ce probable qu'en changeant de voie.

Certaines régressions politiques ont, du reste, commencé, y compris en Europe. Un conflit nucléaire pourrait provoquer le plus grand et plus durable désastre.

Promesse

Simultanément, la même trinité science/technique/économie qui tend à nous conduire aux désastres prépare un heureux avenir pour l'humanité en l'émancipant de ce qui constituait jusqu'alors ses plus terribles fatalités.

Les mêmes moteurs sont en train de produire deux avenirs incompatibles.

Comme je l'avais annoncé en 1951 dans mon livre *L'Homme et la Mort*, les avancées médicales vont être capables de reculer l'âge de la mort tout en supprimant les décrépitudes de la vieillesse, et elles permettront à la fois de vieillir jeunes et de retarder indéfiniment (mais non infiniment) la mort.

En effet, non seulement la médecine prédictive préviendra d'avance les risques de maladie, mais, surtout, les cellules souches répareront les organes défectueux (médecine régénératrice), ou bien ceux-ci seront remplacés par des organes artificiels (cœur, foie, poumon). Cela n'est nullement une illusion.

Mais c'est bel et bien une illusion, chez de nombreux adeptes du transhumanisme, de croire que l'être humain va accéder à l'immortalité. Celui-ci pourra probablement accéder à l'a-mortalité, c'est-à-dire cesser de subir la mort naturelle, mais sans pour autant échapper à la fatalité de la mort.

Les bactéries et virus fabriqueront des capacités de résistance par mutation et provoqueront de nouvelles maladies mortelles. C'est déjà au sein des hôpitaux qu'ils sont le plus dangereux parce que aguerris aux antibiotiques. Les morts violentes ne pourront être éliminées, de même que les attentats et assassinats, et la mort restera toujours une menace. Les catastrophes naturelles qui compromettent le futur de la planète n'épargneront pas les a-mortels.

Enfin, à supposer qu'un certain nombre d'a-mortels survivent indéfiniment, ils seront victimes du refroidissement du Soleil et de l'extinction de toute vie sur terre. À supposer qu'une ultime fraction de l'espèce humaine émigre sur une autre planète, elle subira la mort du Soleil de cette planète. À supposer qu'elle réussisse à émigrer de planète en planète, elle sera atteinte et éteinte par la mort de l'univers. La mort ne cessera donc de parasiter la vie et la conscience humaine.

Autant une prolongation de la vie en bonne santé semble souhaitable, parce qu'il est très long et difficile d'acquérir l'épanouissement et l'expérience, autant la multiplication des Mathusalem poserait des problèmes, surtout dans un monde livré à des forces chaotiques. On aurait une élite de riches et de puissants, qui, bénéficiant égoïstement de l'a-mortalité, s'isoleraient dans des superghettos de luxe protégés, blindés, gardés, et perdraient progressivement leurs qualités proprement humaines, méprisant le reste de l'humanité demeurée mortelle, et haïs par cette humanité, sans toutefois perdre le sentiment d'angoisse d'une mort qui, tôt ou tard, les rattraperait.

Par ailleurs, la prolongation de la vie provoquerait une énorme diminution des naissances, donc de la diversité et de la créativité humaines. Les manipulations d'ADN désormais possible élimineraient les déviants, donc les originaux, donc les créateurs. Si, comme cela a déjà commencé, le contrôle et les interventions génétiques sur les embryons permettaient véritablement d'avoir des enfants à la carte, selon les vœux des parents ou de l'autorité sociale, il n'y aurait plus de diversité humaine, et toute créativité serait éliminée au profit de la standardisation.

Ainsi donc, le futur euphorique de l'a-mortalité se muerait en un futur inquiétant et deviendrait, tôt ou tard, une désastreuse déshumanisation.

La seconde perspective émancipatrice du posthumanisme est l'élimination des contraintes et pénibilités du travail par une automatisation généralisée, qui serait effectuée par des machines intelligentes : ordinateurs et robots.

Déjà sont prévues en 2018 les voitures autonomes sans conducteur humain ; déjà des robots intelligents sont capables d'effectuer des tâches domestiques, de tenir compagnie à des personnes solitaires (robots conversationnels, *chatbots* en anglais), et bientôt de devenir compagnons ou compagnes érotiques. L'ordinateur Watson donne des conseils juridiques avec 90 % de pertinence. Un cyborg est né à Harvard, créature synthétique vivant avec un cœur de rat. La colonisation privative de la planète Mars commencerait en septembre 2023 par l'envoi d'une expédition de quatre colons (deux hommes et deux femmes) précédé par des transferts de matériels logistiques et de biens consommables.

Les imprimantes 3D, l'accession gratuite des œuvres culturelles par Internet transformeraient le système du marché. L'automatisation généralisée ferait disparaître de 70 à 80 % des emplois. Un revenu universel s'imposerait alors. D'où la nécessité d'une véritable révolution qui transformerait les rapports sociaux et les vies personnelles, où la coopération pourrait faire dépérir l'égoïsme, où la location pourrait faire dépérir la propriété, où le capitalisme, d'hégémonique, deviendrait un secteur aventureux de l'économie.

Les algorithmes, que l'on voit déjà s'installer partout, pourraient commander les décisions.

Le rêve d'une société humaine totalement automatisée sous la loi de l'algorithme conduirait non au surhumain mais à l'inhumain. Le rêve d'une rationalité algorithmisante tendra à nous réduire en machines triviales. C'est un idéal vain. L'humain n'est pas algorithmisable. L'histoire non plus n'est pas algorithmisable, ni prédictible. Les décisions humaines importantes, notamment politiques, se prennent en situation aléatoire, on ne peut éliminer l'incertitude propre à l'aventure humaine ; enfin, tout ce qui est essentiel pour les personnes – amour, souffrance, joie, malheur – échappe au calcul. La poésie de la vie n'est pas algorithmisable. Le plus important n'est ni algorithmisable ni automatisable. Seul le fonctionnement des machines triviales l'est. Mais l'automatisation, l'algorithme, cette fois considérés comme serviteurs et non comme maîtres, pourraient contribuer à ce que les humains se vouent, dans une dialectique créatrice raison/passion, prose/poésie, à l'essentiel de leurs aspirations de vie.

Examinons maintenant la notion même de post-humanité, qui recouvre l'homme à la fois a-mortel, augmenté, modifié et émancipé du travail par les machines intelligentes.

Il est clair que l'intervention sur la naissance et sur la mort, que la prothèse entre le biologique et l'humain, et que l'informatisation des machines pourraient donner naissance à un métanthrope[1].

Les colonisations extraterrestres, aujourd'hui impossibles, seront peut-être possibles, et le métanthrope deviendrait un cosmopithèque (intermédiaire entre humain et nouvel être cosmique). L'absence de gravitation dans l'espace interstellaire pourrait nous transformer en hommes-oiseaux. Ainsi, l'apparition, par des moyens artificiels, d'une nouvelle espèce posthumaine est concevable. Mais une nouvelle espèce, née d'une science froide et d'une technique sans éthique, serait avant tout apte à la puissance et au pouvoir; ne serait-elle pas alors plus cruelle encore que la précédente? Ne nous ferait-elle pas oublier nos aptitudes à la bonté, à la compassion, à l'amitié, sentiments encore présents chez *Homo sapiens/demens*?

Si les processus qui tendent au métanthrope sont réels, l'immortalité, elle, demeurera mythique. Et, de même que la nature du surhomme posait problème, car elle avait ses versions nietzschéenne, nazie, stalinienne (mythe de l'homme nouveau), la nature du métanthrope pose aussi problème.

Sera-t-il de la race post-pharaonique de l'homme-dieu, de la race post-nazie des seigneurs, de la race post-technocratique des supermanagers?

---

1. Cf. *L'Homme et la Mort, op. cit.*

Ne devrait-il plutôt être un humain non pas tant quantitativement modifié (« augmenté ») mais qualitativement amélioré ?

Examinons, pour finir, l'hypothèse de Joël de Rosnay, née de son « homme symbiotique » : il suppose qu'un macro-organisme, doué d'un cerveau planétaire, naîtrait des connexions intégratrices entre les esprits humains, les machines intelligentes, Internet et toutes les autres intercommunications : ce serait un être bio-anthropo-cyber-électronique, numérique et qui serait conscient de lui-même. Ce serait donc un métanthrope, non plus sous la forme d'un individu, mais sous la forme d'un superêtre vivant les englobant... Cependant, Joël de Rosnay ne nous dit pas ce que deviendrait la conscience individuelle dans ce cas de figure, si elle serait condamnée ou développée.

La perspective de la post-humanité est désormais envisageable sous diverses formes. Mais elle nécessite impérativement de nous, humains, et dès maintenant, une pensée de la condition et de l'aventure humaines, une conscience des chances et des dangers que comporte en elle la complexité anthropologique d'*Homo sapiens/demens, faber, mythologicus, religiosus, economicus, ludens*, une conscience de ce qu'il y a de plus précieux dans l'homme.

La condition post-humaine

La post-humanité suppose le dépassement de l'humanité actuelle. Elle suppose que, de même que l'essor d'*Homo sapiens* se fit dans la disparition de Neandertal, d'*Erectus* et des autres espèces hominiennes, de même le post-humain se fera dans la disparition de l'humain. Mais un véritable progrès post-humain suppose la sauvegarde et le développement des qualités d'âme, d'esprit, de cœur encore sous-développées et si fragiles chez l'homme.

Notre conscience nous enseigne que l'avenir de l'humanité dépend aussi de l'avenir de la conscience.

Il est tragique que la métamorphose post-humaine ait commencé sous la poussée aveugle du triple moteur scientifique/technique/économique qui propulse le vaisseau spatial Terre, alors que la métamorphose éthique/culturelle/sociale, de plus en plus indispensable à cette métamorphose, demeure encore dans les limbes. Pire : la régression éthique, psychologique, affective accompagne la progression scientifique, technique, économique.

La régénération d'un humanisme devenant planétaire et s'enracinant dans la Terre-Patrie est nécessaire pour éviter le règne de la nouvelle espèce des seigneurs, disposant de tous les pouvoirs, dont ceux de la prolongation de la vie, sur l'ensemble des autres humains asservis.

La (ou les) métamorphose biologique-technique-informatique nécessite surtout d'être accompagnée, régulée, contrôlée, guidée par une métamorphose éthique-culturelle-sociale.

Celle-ci est nécessaire pour éviter le pouvoir des machines pensantes, dont nous dépendrons, même si elles dépendent de nous, et qui pourraient peut-être s'émanciper de nous, voire acquérir une conscience (ce qu'avait prédit Gotthard Günther[1]) et dominer le destin post-humain.

La métamorphose transhumaine est propulsée par des forces anonymes incontrôlées qui sont inconscientes du destin qu'elles produisent. La métamorphose humaniste a certes besoin des puissances inconscientes de l'espèce humaine, mais aussi de forces éthiques et réflexives conscientes des individus. Les nouveaux pouvoirs post-humains seraient inhumains s'ils n'étaient pas sous contrôle d'une humanité ressourcée au meilleur d'elle-même.

Ajoutons que les promoteurs du transhumain sont enfermés dans une pensée euphorique qui leur

---

1. *La Conscience des machines : une métaphysique de la cyberné-tique* [Das Bewusstsein der Maschinen], suivi de *Cognition et volition*, avant-propos d'Edgar Morin, L'Harmattan, 2008.

occulte l'avenir catastrophique que produit la trinité sans frein : science technique économie.

Ils ignorent que la science, désormais liée à la technique en technoscience, est une formidable machine incontrôlée qui travaille pour le bien et le mal, la vie et la mort.

Ils sont inconscients de la complexité contradictoire que porte en elle la trinité science technique économie.

Ils sont inconscients que la part de réalisme dans la prédiction transhumaniste est stérilisée par l'inconscience des processus catastrophiques qui contamineront le transhumanisme.

Ils sont inconscients que les deux avenirs, commandés par la même trinité, seront en interactions et rétroactions.

Et, surtout, ils sont inconscients qu'aussi bien pour éviter les catastrophes que pour éviter l'inhumanité de la post-humanité il faut une profonde réforme intellectuelle et morale.

Ils ignorent la barbarie régressive que comporte leur civilisation avancée.

Ils ignorent que la folie a toujours été présente dans l'histoire humaine.

Ils ignorent, dans leur obsession quantitative de vie augmentée, le besoin primordial de qualité de vie.

Ils ignorent l'aspiration à un autre type de civilisation qui émerge un peu partout dans le monde, dans la résistance à l'hégémonie du calcul, du profit, de l'égoïsme, de l'anonymat, et qui est animée par les besoins d'épanouissement, de partage, d'amour, de vie poétique.

Ils ignorent qu'on ne peut formuler une éthique et une politique que dans la conscience des complexités humaines.

Ils ignorent que la communauté de destin de tous les humains sur terre exige une conscience commune de Terre-Patrie qui envelopperait sans supprimer les patries.

Ils ignorent qu'il nous faut un humanisme anthropo-bio-cosmique.

C'est bien de cette aspiration et de cette double conscience que pourrait naître une nouvelle Voie pour un autre avenir.

FINALE

Le savoir de l'ignorance conduit à l'ineffable.
Nicolas de Cues

*L'incommensurable et l'infini sont
tout aussi indispensables à l'homme
que la petite planète sur laquelle il vit.*
Fiodor Dostoïevski

L'allumette qu'on allume dans le noir ne fait pas qu'éclairer un petit espace, elle révèle l'énorme obscurité qui nous entoure.

Le cheminement de ce livre nous incite à reconnaître et souligner la relation à la fois antagoniste et complémentaire entre connaissance, ignorance, mystère.

La contradiction à laquelle arrive toute connaissance approfondie n'est pas erreur, mais ultime vérité concevable. Il faut alors reconnaître la validité des paradoxes et des contradictions comme ultimes manifestations de la connaissance.

Nous pouvons normaliser, trivialiser, rationaliser et ainsi éliminer l'inconnu et l'inconnaissable.

Ils réapparaîtront à chaque avancée de la connaissance.

Nous pouvons recouvrir d'explications toute chose. Mais les explications sont fondées sur des présupposés inexplicables. L'explication par l'émergence que nous avons proposée pour notre univers est elle-même inexplicable.

L'explication de la richesse luxuriante de la vie par sa créativité est tout aussi inexplicable.

Nous pouvons trouver évidentes les évidences, or les évidences portent en elles-mêmes un très grand mystère.

La connaissance complexe est le chemin nécessaire pour arriver à l'inconnaissable. Sinon, nous demeurons ignorants de notre ignorance.

Notre science nous a rendus savants sur les rouages de la machine, mais ignorants de la machine elle-même.

Tout le secret du monde est en nous, mais il est hors de portée de notre esprit, et nous ignorons ce que nous savons.

Il y a partout un formidable savoir organisateur et créateur dont nous ne connaissons rien.

L'étonnement qui est au commencement de la philosophie est ce qui se trouve à sa fin.

L'univers est étonnant.

La vie est étonnante.

L'humain est étonnant.

L'univers est merveilleux et terrifiant.
La vie est merveilleuse et terrifiante.
L'humain est merveilleux et terrifiant.

La vie est somnambule.
L'humain est somnambule.

La conscience de notre somnambulisme nous a éveillés sans que notre sommeil en soit troublé, mais elle nous en a apporté la connaissance. Elle nous apporte la reconnaissance de l'inconnu et de l'impensable.

Voilà l'apport des grandes œuvres, comme nous le dit Patrick Chamoiseau :

Les grands artistes, les grandes œuvres, installeront toujours une porte ouverte sur l'horizon sans horizon de l'impensable. Et c'est ce qui me semble important dans le geste artistique. Non pas la signification offerte, cette indigence qui nous rassure, mais véritablement une porte qui s'ouvre, qui jamais plus ne se refermera, et qui nous transmettra sans fin les énergies de l'impossible-à-concevoir[1].

---

1. P. Chamoiseau, *La Matière de l'absence*, Seuil, 2016.

Nous ne pouvons espérer qu'en l'éveil de la conscience et en la force de l'amour.

Le mystère ne dévalue nullement la connaissance qui y conduit. Il nous rend conscients des puissances occultes qui nous commandent, qui ne sont pas principalement des déterminismes, mais qui sont comme des *Daimon*, intérieurs et extérieurs à nous, qui nous possèdent et nous conduisent aux folies, aux ivresses ou aux extases.

Il stimule et fortifie le sentiment poétique de l'existence. La finalité apparemment dépourvue de sens – « vivre pour vivre » – comporte la possibilité de faire le choix de vivre poétiquement[1].

Il nous demande d'assumer notre aspiration à la joie et à l'extase qui nous donne le sentiment (illusoire ? véridique ?) de nous unir à une sublimité innommable qui nous transcende.

Il nous fait comprendre que vivre est une navigation dans un océan d'incertitudes avec quelques îlots de certitudes pour s'orienter et se ravitailler.

---

1. La poésie est peut-être née avec la vie, dès la jouissance d'exister de la bactérie, et s'est manifestée dans les fleurs, parures, couleurs, vols, gambades, étirements voluptueux. Et elle a rencontré la prose, la mort, la tragédie.

Il nous encourage à décider et agir dans l'incertain, en sachant prendre le parti d'Éros dans le corps-à-corps de sa lutte contre Thanatos.

Il aiguillonne notre participation à l'aventure de l'humanité.

C'est une aventure folle qui mêle le sublime et l'horrible. Elle est partie intégrante, marginale ou en avant-garde, de l'aventure de l'univers.

Nous continuons notre aventure au sein de l'aventure cosmique, sans savoir où elles vont.

Été-automne 2016

TABLE

La Méthode

La Nature de la nature (t. 1), Seuil, 1977, coll. « Points Essais », n° 123, 1981 et 2014

La Vie de la vie (t. 2), Seuil, 1980, coll. « Points Essais », n° 175, 1985 et 2014

La Connaissance de la connaissance (t. 3), Seuil, 1986, coll. « Points Essais », n° 236, 1992 et 2014

Les Idées. Leur habitat, leur vie, leurs mœurs, leur organisation (t. 4), Seuil, 1991, coll. « Points Essais », n° 303, 1995 et 2014

L'Humanité de l'humanité. L'identité humaine (t. 5), Seuil, 2001, coll. « Points Essais », n° 508, 2003 et 2014

L'Éthique (t. 6), Seuil, 2004, coll. « Points Essais », n° 555, 2006 et 2014

La Méthode, Seuil, coll. « Opus », 2 vol., 2008

L'Aventure de La Méthode, Seuil, 2015

La pensée complexe

Science avec conscience, Fayard, 1982 ; Seuil, coll. « Points Sciences », n° 564, 1990

Sociologie, Fayard, 1984 ; Seuil, coll. « Points Essais », n° 276, 1994

Introduction à la pensée complexe, ESF, 1990 ; Seuil, coll. « Points Essais », n° 534, 2005 et 2014

La Complexité humaine, Flammarion, coll. « Champs : l'essentiel », n° 189, 1994

La condition humaine

Le Cinéma ou l'Homme imaginaire, essai d'anthropologie sociologique, Éditions de Minuit, 1956

Les Enfants du ciel : entre vide, lumière, matière (avec Michel Cassé), Odile Jacob, 2003

L'Homme et la Mort, Corrêa, 1951 ; Seuil, 1970, coll. « Points Essais », 2014

Le Paradigme perdu : la nature humaine, Seuil, 1973, coll. « Points Essais », n° 109, 1979 et 2016

Dialogue sur la nature humaine (avec Boris Cyrulnik), Éditions de l'Aube, coll. « Interventions », 2000 ; rééd. 2004 et 2012, coll. « Aube poche » ; nouvelle édition illustrée par Patrick Lemaître, Éditions de l'Aube, coll. « Monde en cours », 2015

Sur l'esthétique, Robert Laffont/FMSH Éditions, coll. « Le monde comme il va » et « Interventions », 2016

La tétralogie pédagogique

La Tête bien faite. Repenser la réforme, réformer la pensée, Seuil, 1999

Relier les connaissances. Le défi du XXIe siècle, Journées thématiques conçues et animées par Edgar Morin, Unesco-Seuil, 1999

Les Sept Savoirs nécessaires à l'éducation du futur, Seuil, 2000, coll. « Points Essais », 2015

Enseigner à vivre : manifeste pour changer l'éducation, Actes Sud/Éditions Play Bac, 2014

L'ère planétaire

Terre-Patrie (avec Anne-Brigitte Kern), Seuil, 1993 ; coll. « Points Essais », n° 207, 1996 et 2000

Pour sortir du XXe siècle, Seuil, coll. « Points Essais », n° 170, 1984 ; édition augmentée d'une préface sous le titre *Pour entrer dans le XXIe siècle*, Seuil, coll. « Points Essais », n° 518, 2004

L'Esprit du temps. Essai sur la culture de masse, 2 t., Grasset, 1962 et 1976 ; nouvelle édition Armand Colin/Ina, 2008.

La Voie : pour l'avenir de l'humanité, Fayard, 2011

Penser global : l'humain et son univers, Robert Laffont/FMSH Éditions, coll. « Le monde comme il va » et « Interventions », 2015

Écologiser l'homme, Lemieux éditeur, 2016

Temps présent

La Rumeur d'Orléans (avec Bernard Paillard, Évelyne Burguière, Claude Capulier, Suzanne de Lusignan,

Julia Vérone), Seuil, 1969, coll. « Points Essais », n° 143, 1982, édition augmentée avec *La Rumeur d'Amiens, 1982*

Commune en France : la métamorphose de Plozévet, Fayard, 1967 ; LGF, coll. « Biblio-Essais », 1984, et « Pluriel », 2013

Penser l'Europe, Gallimard, 1987, coll. « Folio », 1990

Le Monde moderne et la Condition juive, Seuil, 2006, coll. « Points Essais », 2012

Au péril des idées : les grandes questions de notre temps (avec Tariq Ramadan), Presses du Châtelet, 2014 ; Archipoche, 2015

Pensée politique

Introduction à une politique de l'homme, Seuil, 1965, coll. « Points Politique », n° 29, 1969, « Points Essais », n° 381, 1999

De la nature de l'URSS. Complexe totalitaire et nouvel empire, Fayard, 1983

Culture et barbarie européennes, Éditions Bayard, 2005 ; nouvelle édition, *L'Europe à deux visages : humanisme et barbarie*, Lemieux éditeur, 2015

Pour et contre Marx, Temps Présent, 2010 ; Flammarion, « Champs Actuel », 2012

Ma gauche, François Bourin, 2010

La France une et multiculturelle. Lettres aux citoyens de France (avec Patrick Singaïny), Fayard, 2012

Le Chemin de l'espérance (avec Stéphane Hessel), Fayard, 2011

Ma voie

Autocritique, Seuil, 1959 et 2012 ; coll. « Points Essais », n° 283, 1994

Mes démons, Stock, coll. « À vif », 1994 et 2008 ; réed. Points, coll. « Points », n° 528, 2010

Vidal et les siens (avec Véronique Nahoum-Grappe et Haïm Vidal Sephiha), Seuil, 1989 et 2015, coll. « Points », n° 300, 1996

Amour, poésie, sagesse, Seuil, 1997, coll. « Points », 1999

Mon chemin. Entretiens avec Djénane Kareh Tager, Fayard, 2008 ; coll. « Points Essais », 2011

Edwige, l'inséparable, Fayard, 2009

Mes philosophes, Éditions Germina, coll. « Cercle de philosophie », 2011

Mon Paris, ma mémoire, Fayard, 2013

Mes Berlin : 1945-2013, Le Cherche Midi, 2013

Journaux

Journal de Californie, Seuil, 1970 ; coll. « Points Essais », n° 151, 1983

Le Vif du sujet, Seuil, 1969 ; coll. « Points Essais », n° 137, 1982

Une année Sisyphe (Journal de la fin du siècle), Seuil, 1995

Pleurer, aimer, rire, comprendre, 1er janvier 1995-31 janvier 1996, Arléa, 1996

Journal (t. 1 et t. 2), Seuil, 2012.

Au rythme du monde : un demi-siècle d'articles dans Le Monde, Presses du Châtelet, 2014 ; Archipoche, 2015

Colloques

L'Unité de l'homme (avec Massimo Piatelli Palmarini), Seuil, 1974, coll. « Points Essais », 3 vol., 1978

Arguments pour une méthode, colloque de Cerisy, Seuil, 1990

Composition réalisée par Belle Page

Fayard s'engage pour
l'environnement en réduisant
l'empreinte carbone de ses livres.
Celle de cet exemplaire est de :
0,550 kg éq. CO$_2$
Rendez-vous sur
www.fayard-durable.fr

PAPIER À BASE DE
FIBRES CERTIFIÉES

36-3058-9/01
Dépôt légal : fevrier 2017
Imprimé en Espagne par Industria Gráfica Cayfosa